FRAPPE-TOI LE CŒUR

AMÉLIE NOTHOMB

FRAPPE-TOI LE CŒUR

roman

ALBIN MICHEL

IL A ÉTÉ TIRÉ DE CET OUVRAGE

Trente-cinq exemplaires
sur vergé blanc chiffon, filigrané, de Hollande
dont vingt-cinq exemplaires numérotés de 1 à 25
et dix exemplaires, hors commerce, numérotés de I à X

Marie aimait son prénom. Moins banal qu'on ne le croyait, il la comblait. Quand elle disait qu'elle s'appelait Marie, cela produisait son effet. « Marie », répétait-on, charmé.

Le nom ne suffisait pas à expliquer le succès. Elle se savait jolie. Grande et bien faite, le visage éclairé de blondeur, elle ne laissait pas indifférent. À Paris, elle serait passée inaperçue, mais elle habitait une ville assez éloignée de la capitale pour ne pas lui servir de banlieue. Elle avait toujours vécu là, tout le monde la connaissait.

Marie avait 19 ans, son heure était venue. Une existence formidable l'attendait, elle le sentait. Elle étudiait le secrétariat, ce qui ne présageait rien – il fallait bien étudier quelque chose. On était en 1971. « Place aux jeunes », entendait-on partout.

Elle fréquentait les gens de son âge aux soirées de la ville, elle n'en manquait pas une. Il y avait une fête presque chaque soir pour qui connaissait du monde. Après une enfance calme et une adolescence ennuyeuse, la vie commençait. « Désormais, c'est moi qui compte, c'est enfin mon histoire, ce n'est plus celle de mes parents, ni de ma sœur. » Son aînée avait épousé un brave garçon l'été d'avant, elle était déjà mère, Marie l'avait félicitée en pensant : « Fini de rire, ma vieille ! »

Elle trouvait grisant d'attirer les regards, d'être jalousée des autres filles, de danser jusqu'au bout de la nuit, de rentrer chez elle au lever du jour, d'arriver en retard au cours. « Marie, vous avez encore fait la vie, vous », disait à chaque fois le professeur avec une fausse sévérité. Les laiderons qui étaient toujours à l'heure la contemplaient rageusement. Marie éclatait de son rire lumineux.

Si on lui avait dit qu'appartenir à la jeunesse dorée d'une ville de province n'augurait rien d'extraordinaire, elle ne l'aurait pas cru. Elle ne prévoyait rien de particulier, elle savait seulement que ce serait immense. Quand elle s'éveillait le matin, elle sentait dans son cœur un appel gigantesque, elle se laissait porter par cet enthousiasme.

Le jour neuf promettait des événements dont elle ignorait la nature. Elle chérissait cette impression d'imminence.

Lorsque les filles du cours parlaient de leur avenir, Marie s'esclaffait en son for intérieur : mariage, enfants, maison – comment pouvaient-elles se contenter de cela ? Quelle sottise de mettre des mots sur son espérance, à plus forte raison des mots aussi mesquins ? Marie ne nommait pas son attente, elle en savourait l'infini.

Aux fêtes, elle aimait que les garçons n'en aient que pour elle, elle veillait à ne donner la préférence à aucun – qu'ils soient tous pâles d'angoisse de ne pas être choisis. Quel plaisir d'être cent fois respirée, mille fois convoitée, jamais butinée !

Il y avait une joie encore beaucoup plus puissante : il s'agissait de susciter la jalousie des autres. Quand Marie voyait les filles la regarder avec cette envie douloureuse, elle jouissait de leur supplice au point d'en avoir la bouche sèche. Au-delà même de cette volupté, ce que disaient ces yeux amers posés sur elle, c'était que l'histoire en cours était la sienne, c'était elle qu'on racontait, et les autres souffraient de se découvrir figurantes, invitées au festin pour en récolter les miettes, conviées au drame pour y mourir d'une balle perdue, c'est-à-dire d'une brûlure qui ne leur était pas destinée.

La destinée ne s'intéresserait qu'à Marie et c'était cette exclusion des tiers qui la faisait suprêmement jubiler. Si l'on avait tenté de lui expliquer que l'envers de la jalousie équivalait à de la jalousie et qu'il n'y avait pas de sentiment plus laid, elle eût haussé les épaules. Et aussi longtemps qu'elle dansait au centre de la fête, la joliesse de son sourire pouvait donner le change.

Le plus beau garçon de la ville s'appelait Olivier. Élancé, très brun comme un Méridional, il était le fils du pharmacien et reprendrait ce métier. Gentil, drôle, serviable, il plaisait à tous et à toutes. Ce dernier détail n'avait pas échappé à Marie. Elle n'eut qu'à apparaître et le tour fut joué : Olivier tomba fou amoureux d'elle. Marie savoura que cela se vît tant. Dans le regard des filles, l'envie douloureuse laissa place à la haine, et la jouissance qu'elle éprouva à être ainsi contemplée la fit trembler.

Olivier se méprit sur la nature de ce frémissement et se crut aimé. Bouleversé, il se risqua à l'embrasser. Marie ne détourna pas le visage, elle se contenta de jeter les yeux sur le côté pour vérifier l'exécration dont elle était l'objet. Le baiser coïncida pour elle avec la souveraine mor- sure de son démon et elle gémit.

La suite se déroula selon une mécanique vieille de cent mille ans. Marie qui craignait d'avoir mal s'étonna d'éprouver si peu de chose, si ce n'est au moment où tout le monde les avait vus partir ensemble. Elle aima incarner, l'espace d'une nuit, le meilleur espoir féminin.

Éperdu de bonheur, Olivier ne cachait pas son amour. Désormais prima donna, Marie rayonnait. « Quel beau couple ! Comme ils vont bien ensemble ! » disaient les gens. Elle était si heureuse qu'elle se croyait amoureuse. Le sourire des parents l'enchantait moins que le vilain pli de la bouche des filles de son âge. Comme elle riait de jouer le rôle principal de ce film à succès !

Six semaines plus tard, elle déchanta. Elle courut chez le médecin qui lui confirma ce qu'elle redoutait. Épouvantée, elle annonça la nouvelle à Olivier, qui l'enlaça aussitôt.

– Ma chérie, c'est merveilleux ! Épouse-moi !

Elle éclata en sanglots.

– Tu ne veux pas ?

– Si, dit-elle entre ses larmes. Mais j'aurais voulu que ça se passe autrement.

– Qu'est-ce que ça change ? répondit-il en l'étreignant de joie. Quand on s'aime autant que nous nous aimons, on a des enfants très vite, de toute façon. Pourquoi attendre ?

– J'aurais préféré que les gens ne soupçonnent rien.

Il s'attendrit de ce qu'il prit pour de la pudeur :

– Ils ne soupçonneront rien. Ils ont vu, tous autant qu'ils sont, que nous sommes fous amoureux. Nous nous marierons dans deux semaines. Ton tour de taille sera toujours celui d'une jeune fille.

Elle se tut, à court d'arguments. Elle calcula qu'en quinze jours, on ne pourrait pas préparer la fête retentissante dont elle nourrissait le désir.

Olivier mit les parents devant le fait accompli. Il ne leur cacha pas le motif de tant d'empressement, qui provoqua l'enthousiasme des deux mères et des deux pères :

– Vous n'avez pas perdu de temps, les enfants ! C'est bien, rien de tel que d'être jeune pour avoir un bébé.

«Purée», pensa Marie, qui mimait la fierté dans l'espoir qu'on croie à son bonheur.

La noce fut aussi parfaite que pouvaient l'être des épousailles si vite préparées. Olivier exultait.

– Merci, ma chérie. J'ai toujours eu horreur de ces banquets qui durent des heures et où sont conviés des oncles qu'on n'a jamais vus. Grâce à toi, nous avons un vrai mariage d'amour, un dîner simple, une soirée avec nos véritables proches, dit-il en dansant avec elle.

Sur les photos, on vit un jeune homme éperdu de joie et une jeune femme au sourire contraint.

Les gens présents à la fête aimaient les jeunes mariés. Pour cette raison, Marie eut beau épier les visages, elle ne vit personne avoir l'expression d'envie qui lui aurait permis de penser qu'elle était en train de vivre le plus beau jour de sa vie. Elle aurait aimé, elle, une énorme

noce pleine de badauds jaloux, de tiers médi-
sants, de mochetés délaissées lorgnant une robe
de mariée qui n'aurait pas été bêtement celle de
sa mère.

« Tu te rends compte qu'à ton âge j'étais aussi
mince que toi ! » s'était écriée celle-ci en constatant que le modèle d'après-guerre allait si bien à
sa fille.

Marie avait détesté ce commentaire.

Le jeune couple s'installa dans une jolie maison de ville, non loin de la pharmacie. L'épouse aurait adoré choisir ses meubles, mais dès le deuxième mois de sa grossesse, une fatigue hors norme s'empara d'elle. Le médecin assura que le phénomène était courant, en particulier chez les primipares. Ce qui fut moins normal, c'est que cet épuisement dura jusqu'au neuvième mois.

Elle ne s'éveillait que pour manger, car elle crevait de faim.

– Je ne vais plus au cours, c'est embêtant, dit-elle à son mari entre deux bouchées.

– De toute façon, tu es beaucoup trop intelligente pour être secrétaire, répondit-il.

Elle demeura perplexe. Elle n'avait jamais envisagé d'être secrétaire. Pour elle, étudier le secrétariat ou l'agronomie, c'était du pareil au même. Et puis, qu'est-ce qu'Olivier voulait dire par « intelligente » ? Elle refusa de creuser le sujet et se recoucha.

Il y avait quelque chose de vertigineux à pouvoir dormir à volonté. Elle s'alitait et sentait le gouffre du sommeil s'ouvrir sous elle, elle se livrait à cette chute et n'avait pas le temps d'y penser, elle disparaissait aussitôt. S'il n'y avait pas eu l'appétit, elle ne se serait jamais éveillée.

Dès la dixième semaine, elle commença à avoir envie d'œufs. Quand Olivier était à la pharmacie, elle lui téléphonait :

– Fais-moi des œufs mollets. Sept minutes de cuisson, ni plus ni moins.

Le jeune époux lâchait tout et courait chez lui cuire des œufs. Ceux-ci ne pouvaient pas être préparés à l'avance, car les œufs mollets continuent de cuire tant qu'on ne les a pas mangés. Il les écalait délicatement et les apportait à Marie au lit sur un plateau. La jeune femme les dévorait avec un plaisir effrayant, sauf si, par distraction, il les avait cuits sept minutes et demie – elle les repoussait en déclarant : « Ça m'étouffe » –

ou six minutes et demie – elle fermait les yeux en gémissant que ça la dégoûtait.

– N'hésite pas à me réveiller au milieu de la nuit si tu en veux, disait Olivier.

Injonction inutile : elle n'hésitait pas. Après avoir avalé les œufs, elle retombait endormie. Il ne fallait pas être grand clerc pour diagnostiquer un cas de fuite dans le sommeil, même si personne, parmi ses proches, ne le comprit. Les rarissimes fois que Marie ne dormait pas et pensait, elle se disait : « Je suis enceinte, j'ai 19 ans et ma jeunesse est déjà finie. »

Alors le gouffre du sommeil se rouvrait et elle était soulagée d'y sombrer.

Quand elle mangeait ses œufs, Olivier la regardait avec attendrissement et lui demandait parfois si le bébé lui donnait des coups de pied. Elle répondait non. L'enfant était très discret.

– Je n'arrête pas de penser à lui, disait-il.

– Moi aussi.

Elle mentait. Pendant neuf mois, elle n'eut pas une pensée pour le bébé. En quoi elle eut raison, car si elle avait pensé à lui, elle l'aurait exécré. Une précaution instinctive voulut qu'elle vive sa grossesse comme une longue absence.

– Crois-tu que c'est un garçon ou une fille ?
demandait-il parfois.

Elle haussait les épaules. S'il évoquait un
choix de prénom, elle refusait. Il respectait sa
décision. La vérité était que si elle tentait de se
concentrer sur le bébé, cela ne durait pas une
seconde. Il lui demeurait radicalement étranger.

Elle vécut l'accouchement comme un retour
brusque et désagréable dans le réel. Quand elle
entendit les vagissements du nouveau-né, elle fut
stupéfaite : ainsi donc, pendant tout ce temps,
elle avait contenu quelqu'un.

– C'est une petite fille, madame, annonça la
sage-femme.

Marie n'éprouva rien, ni déception ni conten-
tement. Elle aurait aimé qu'on lui explique quoi
éprouver. Elle était fatiguée.

On posa l'enfant sur son ventre. Elle le
regarda, se demandant quelle réaction on attendait d'elle. À cet instant, Olivier fut autorisé à la
rejoindre. Il affichait toutes les émotions qu'elle
aurait dû ressentir. Bouleversé, il embrassa son

épouse et la félicita puis, les larmes aux yeux, il prit le bébé dans ses bras et s'écria :

– Tu es la plus belle petite fille que j'aie vue de toute ma vie !

Le cœur de Marie se figea. Olivier lui montra le visage de l'enfant.

– Ma chérie, regarde le chef-d'œuvre que tu as fait !

Marie réunit son courage pour contempler sa créature. Le bébé était brun avec des cheveux noirs d'un centimètre. Il n'arborait aucune des rougeurs si fréquentes chez les nouveau-nés.

– On dirait toi en fille, dit-elle. Nous devrions l'appeler Olivia.

– Non ! Elle est belle comme une déesse. Nous l'appellerons Diane, décida le jeune père.

Marie entérina le choix de son mari, mais son cœur se figea derechef. Olivier lui mit le bébé dans les bras. Elle regarda son enfant et pensa : « Ce n'est plus mon histoire maintenant. C'est la tienne. »

On était le 15 janvier 1972. Marie avait 20 ans.

La petite famille rentra à la maison. Le matin, Olivier donnait le biberon à Diane puis partait à la pharmacie. Quand Marie se retrouvait seule avec sa fille, elle ressentait un malaise auquel elle ne comprenait rien. Elle s'efforçait de la regarder le moins possible. Lorsqu'il fallait la changer, cela ne lui posait pas de problème. C'était le visage de son enfant qui la gênait. Elle lui faisait prendre son biberon en détournant les yeux.

Elle reçut des visites, surtout au début. Des amies passaient qui voulaient voir Diane. À chaque fois, elles poussaient des exclamations : « Quelle beauté ! Ce n'est pas possible, un si beau bébé ! » Marie s'efforçait de dissimuler la douleur qu'elle éprouvait alors. Ce qui la blessa le plus fut le coup de foudre que ses parents eurent pour leur petite-fille.

– Tu as réussi à avoir un bébé encore plus beau que toi ! dit le grand-père.

Son épouse vit sa fille pincer les lèvres. Elle s'abstint de la complimenter mais Marie perçut le regard d'idolâtrie que sa mère eut pour Diane et souffrit.

Elle attendait la fin des visites avec impatience. Quand les tiers s'en allaient, elle mettait la petite dans son berceau, à l'abri de son regard. Elle s'allongeait sur le lit et contemplait le plafond en pensant : « C'est fini. J'ai 20 ans et c'est déjà fini. Comment la jeunesse peut-elle être si courte ? Mon histoire n'a duré que six mois. » Cela tournait en boucle dans sa tête. Si seulement elle avait pu s'endormir, comme au temps de sa grossesse ! Elle n'avait plus le loisir de disparaître, il fallait qu'elle affronte le réel – c'était une expression qu'elle avait lue et dont elle ne comprenait pas le sens, sinon qu'il devait s'agir de quelque chose d'insupportable.

Diane était sage, pourtant. Elle n'avait pleuré qu'au moment de sa naissance. On ne l'entendait pas. Elle distribuait des sourires à qui l'observait. « Tu as tiré un bon numéro », disait-on à Marie.

Quand Olivier rentrait du travail, en début

de soirée, il trouvait sa femme et sa fille cou-
chées et silencieuses, à quelques mètres l'une de
l'autre. Pour la petite, il ne s'inquiétait pas, cela
lui paraissait normal.

– Je suis fatiguée, répondait invariablement
Marie à ses questions angoissées.

– Veux-tu que j'engage une nurse ?

L'épouse refusait, méfiante à l'idée d'une
inconnue dans la maison.

– Ta mère ne travaille pas. Nous pourrions
lui confier Diane, suggéra un jour Olivier.

Marie se fâcha :

– Dis tout de suite que tu ne me crois pas
capable de m'occuper de la petite.

En vérité, elle savait que c'est ce que sa mère
penserait.

Le jeune père allait prendre sa fille dans ses
bras et il fondait : elle lui souriait en gazouillant.
Olivier multipliait les déclarations d'amour :
« Ma beauté, mon trésor mon bonheur ! » Il couvrait son visage de baisers et ne remarquait pas
que Marie blêmissait sans mesure. Il donnait le
biberon à Diane et la recouchait.

– Ma chérie, que tu es pâle ! s'écriait-il en
voyant sa femme.

– Je n'aurai jamais la force de préparer le dîner, murmurait-elle.

– Je t'invite au restaurant !

– Nous ne pouvons pas sortir, répondait-elle en montrant le berceau du menton.

– Veux-tu que j'appelle la baby-sitter ?

– Je m'en occupe.

Elle veillait à téléphoner toujours à Madame Testin, qui avait 55 ans et des lunettes à triple foyer. Elle se retenait de rire lorsqu'elle voyait sa fille détourner gentiment le visage de la mauvaise haleine de la dame qui lui parlait à bout portant.

Au restaurant, Marie s'animait et retrouvait un peu de sa superbe. Ce qui lui faisait le plus de bien était le regard d'envie des serveuses. Elle privilégiait le restaurant où la serveuse avait été dans sa classe au lycée, parce que la cruauté de la comparaison la réconfortait.

Hélas, le brave Olivier lui gâchait souvent la soirée en disant d'une voix enamourée :

– Mon amour, je ne pourrai jamais assez te remercier pour notre fille.

Marie baissait les yeux pour cacher son dépit.

L'époux était ému de ce qu'il prenait pour de la modestie.

À la longue, il s'inquiéta. Les mois passèrent sans que la jeune femme se requinque. Où était la joie de vivre de la jeune fille qu'il avait épousée ? Il lui posait des questions auxquelles elle répondait à côté.

– Voudrais-tu travailler ? lui demanda-t-il un jour.

– Oui. Mais c'est impossible, j'ai interrompu mes études.

– Tu es beaucoup trop intelligente pour être secrétaire.

– Tu m'as déjà dit ça. Et je suis assez intelligente pour quoi, alors ?

– J'aurais bien besoin d'une comptable, à la pharmacie.

– Je n'y connais rien.

– Ça s'apprend. Je suis sûr que tu y excellerais.

– Et la gosse ?

– Je me charge d'expliquer à ta mère qu'on

ne peut pas à la fois étudier la comptabilité et s'occuper d'un bébé.

Olivier alla voir sa belle-mère et lui tint un discours différent : sa fille était en pleine dépression post-partum et seule la perspective de travailler éveillait en elle le désir de vivre. Il l'implora de bien vouloir veiller sur sa petite-fille. Chaque soir, il viendrait chercher Diane.

– J'accepte avec joie, dit la grand-mère.

Quand le gendre fut parti, l'aïeule se réjouit :

– Béni soit Olivier !

– Je n'aurais jamais cru que Marie ferait une dépression, dit le grand-père.

– Dépression, tu parles ! Elle est maladivement jalouse de sa fille. C'est ça qui l'empoisonne.

– Pourquoi serait-elle jalouse de cette petite ?

– Comme s'il fallait une raison pour ça ! Toi et moi, nous avons éduqué nos deux filles dans le souci de la justice. Nous n'avons jamais donné plus à l'une qu'à l'autre. Brigitte est l'aînée, elle est moins jolie que sa cadette, c'est elle qui aurait pu être jalouse. Mais elle ne l'a jamais été, c'est Marie qui l'est. Je pensais que son problème s'était arrangé : elle est devenue la plus belle

femme de la ville, elle a fait un mariage magnifique. Eh bien non : je l'ai vue, de mes yeux,
jalouse de sa fille.

– Que peut-elle jalouser à un bébé ?

– La petite est ravissante, elle attire l'attention : ça lui suffit.

– Tu crois qu'elle la maltraite ?

– Non. Marie n'est ni méchante ni folle. Mais
elle ne manifeste aucune tendresse à l'enfant.
Pour la pauvre Diane, ça ne doit pas être très
agréable.

– Comment peut-on ne pas aimer un angelot
pareil ?

Les grands-parents accueillirent leur petite-
fille avec d'autant plus de transports d'affection
qu'ils étaient conscients du manque dont elle
souffrait. Le quotidien du bébé changea du tout
au tout.

Auparavant, il y avait deux temps forts dans la vie de Diane : le matin et le soir. Ils coïncidaient avec les moments où son père venait la sortir de son berceau pour la couvrir de baisers, lui changer sa couche, lui donner son biberon, le tout en l'arrosant de paroles d'amour. D'une rive à l'autre du jour ou de la nuit s'étendait l'infini : pendant un siècle de lumière ou d'obscurité, il ne se passait rien. Parfois, la déesse indifférente s'emparait d'elle pour la changer ou la biberonner. Elle appartenait à ce point à une espèce étrangère qu'elle réussissait à la toucher sans qu'il y ait de contact, à la regarder sans la voir. Diane ouvrait grand les yeux dans l'espoir que la déesse s'aperçoive de sa présence, elle se risquait parfois à émettre un gazouillis, en vain. Quand elle la reposait dans son lit, cessait enfin la torture de l'espoir. Là au moins, Diane savait avec certitude qu'il n'y avait rien à attendre. À part bien sûr le matin et le soir, mais ces événements étaient si lointains qu'il valait mieux ne pas y penser. Alors elle occupait son néant à se demander pourquoi l'odeur de la déesse lui était à ce point familière, mieux que cela, pourquoi cette odeur exquise lui déchirait le cœur.

Soudain, l'existence se métamorphosa. Le père l'emportait dans un couffin et la déposait entre les bras d'une personne qui avait le même âge que Madame Testin, à cette différence près qu'elle sentait très bon et que sa tendresse lui était très agréable. Avec elle, le néant disparut. Quand elle ne la tenait pas contre son cœur, elle la mettait dans son parc : un espace à elle d'où elle pouvait regarder mamie. Mamie était une personne aussi active et bruyante que la déesse était passive et silencieuse. Mamie préparait de la nourriture en écoutant la radio, à qui elle parlait souvent. Quand mamie mangeait, elle installait Diane dans une chaise haute et lui proposait toujours une assiette de ce qu'elle avait cuisiné : elle n'était pas obligée, mais elle avait le droit d'essayer et c'était parfois délicieux.

Surtout, mamie la regardait et lui parlait. Avec mamie, elle n'existait pas que le matin ou le soir. Elle existait sans arrêt, c'était excitant. Il arrivait même que mamie l'emporte à l'extérieur vivre des aventures étourdissantes. Ensemble, elles allaient au marché acheter des légumes, choisir des fruits, explorer l'univers. Il n'y avait pas de limites au pouvoir qu'avait mamie de rendre le monde intéressant.

Le soir, le père venait rechercher le couffin avec des effusions délectables. On allait retrouver la déesse qui ne la regardait toujours pas mais qui allait mieux. Pendant que celle-ci lui donnait le dernier biberon et la couchait, Diane sentait ce grand corps bouillonner de vie.

Olivier avait raison : Marie se passionna pour la comptabilité. Elle suivit une formation accélérée qui révéla ses dons : les chiffres, qui l'ennuyaient dans l'absolu, la fascinèrent dès qu'ils représentèrent de l'argent. L'argent était cette valeur géniale qui suscitait l'envie d'autrui : Marie apprit qu'elle en possédait plus que la population de la ville en général et elle jubila.

Elle en comprit aussitôt le principe : il ne fallait pas montrer qu'on l'aimait. Ainsi, on en jouissait bien davantage.

Marie ne se révéla pas seulement une comptable idéale mais une femme d'affaires avisée : à la pharmacie, elle créa un rayon de produits de beauté dont elle fut l'étendard. Les clientes lui demandaient le secret de son teint frais et de sa peau rayonnante. Elle se gardait de répondre qu'elle avait 21 ans et, d'un air confidentiel, montrait une crème de soin très onéreuse.

Olivier tomba encore plus amoureux de son épouse, qui ne tarda pas à retomber enceinte. Cette fois-ci, elle n'en parut pas incommodée. Elle ne changea rien à ses habitudes et travailla comme toujours.

Une nuit, elle fit un cauchemar assez fréquent chez les femmes enceintes d'un deuxième enfant : elle rêva que son premier enfant mourait. Elle se réveilla au comble de l'angoisse et éprouva le besoin de vérifier qu'il s'agissait d'un rêve. Elle se précipita vers le berceau et saisit le corps de sa petite fille. Diane sortit du sommeil en sentant un miracle. La déesse la serrait dans ses bras et répétait : « Tu es vivante, tu es vivante ! » Elle la couvrait de baisers. Diane ouvrit grand les yeux pour voir ce que l'obscurité lui permettait de distinguer : la déesse avait le visage métamorphosé, resplendissant de tendresse et de soulagement. Alors elle se laissa gagner par l'incroyable trouble de cette étreinte. Son être entier était perclus du plaisir le plus immense. L'odeur de la déesse se propagea à tous ses sens, Diane baigna dans ce parfum d'une suavité ineffable et elle connut l'ivresse la plus intense de l'univers : l'amour. La déesse était donc sa mère, puisqu'elle l'aimait.

– Dors bien, mon bébé, finit par dire Marie en reposant son enfant dans le berceau.

Et elle alla se recoucher.

Diane ne se rendormit pas. La révélation de l'amour ne cessait de la parcourir. Certes, dans les bras de son père, de mamie, de papy, elle avait senti qu'elle était aimée et qu'elle aimait. Mais ce qu'elle avait éprouvé dans les bras de sa mère était d'une nature autre : cela relevait de la magie. C'était une force qui élevait, transissait, broyait de bonheur. Cela tenait à l'odeur de sa mère, qui l'emportait sur les fragrances les plus exquises. Cela avait à voir avec la voix de sa mère, qui, quand elle lui avait parlé cette nuit-là, était la musique la plus délicieuse qu'elle ait entendue. Cela se complétait par la douceur de la peau et de la chevelure de sa mère, qui avait achevé de transformer cette étreinte en une longue caresse soyeuse.

Il importait qu'elle ne se rendormît pas : c'était pour elle le seul moyen de s'assurer qu'elle n'avait pas rêvé. Diane avait remarqué la possibilité de vivre au cours du sommeil des choses bizarres. Il fallait un certain temps de conscience pour se pénétrer de leur irréalité. Dans le cas présent, elle constatait l'opposé : plus elle demeurait éveillée, moins elle doutait de la vérité de ce qui s'était produit.

C'était donc cela, le sens, la raison d'être de toute vie : si l'on était là, si l'on tolérait tant d'épreuves, si l'on faisait l'effort de continuer à respirer, si l'on acceptait tant de fadeur, c'était pour connaître l'amour. Diane se demanda si d'autres sources que la déesse pouvaient le susciter. Il lui sembla que non : combien de fois avait-elle vu son père se blottir dans les bras de sa mère avec une expression étrangement bienheureuse ?

Un mystère supplémentaire provoqua sa réflexion : lors de l'étreinte de la déesse, elle avait senti battre en elle le cœur de celle-ci et elle avait su que son propre cœur pulsait dans la grande poitrine – mais elle avait également entendu un autre cœur au fond de sa mère, plus bas. Y avait-il un rapport avec la rotondité inhabituelle du ventre de la bien-aimée ? Et pourquoi cela la renvoyait-il à des souvenirs confus, à la nostalgie d'une intimité qui n'était pas de ce monde ?

Diane réussit à ne pas se rendormir et attendit le matin avec une impatience pleine de ferveur. Quand son père vint la prendre dans son berceau pour le rituel du réveil, elle tendit le visage vers sa mère pour voir si le changement persistait. Celle-ci ne la regarda pas, ne lui adressa pas la parole : c'était un jour comme les autres. Et Diane sut que sa mère avait oublié ce qui s'était passé la nuit. À supposer qu'elle se le rappelât, elle penserait qu'il s'agissait d'un rêve.

L'enfant eut le cœur comprimé de souffrance. Mais à l'intérieur d'elle quelque chose de fort et de clair chuchotait : « Moi, je me souviens, moi, je sais que ce n'était pas un rêve, moi, je sais que la déesse est ma mère et moi, je sais qu'elle m'aime comme je l'aime et que cet amour existe. »

Un matin, il advint que ce fut Marie qui apporta la petite chez ses parents. Pendant le court moment où elle fut dans ses bras, Diane tenta de retrouver le parfum et la douceur de sa bien-aimée, qui ne s'en aperçut pas. Le père de Marie leur ouvrit et vit le bébé implorant et l'indifférence de sa fille. Il serra sa petite-fille contre lui et la cajola :

– Bonjour ma chérie, ma toute belle…

– C'est ridicule de lui parler comme ça, dit la déesse en s'en allant, glaciale.

Estomaqué de cette attitude, le grand-père comprit que son épouse avait raison. Il vit la gravité intelligente dans les yeux de Diane et il décida de lui expliquer :

– Ta mère n'est pas méchante, ma merveille.

Elle est seulement jalouse. Elle l'a toujours été :
c'est comme ça, tu n'y peux rien. Jalouse, tu
comprends ?

L'enfant de deux ans dit oui.

– Ce sera notre secret.

Avait-elle déjà entendu le mot « jalouse » ?
Quoi qu'il en fût, elle eut le sentiment de savoir
ce dont il s'agissait. Et elle y vit une bonne
nouvelle : ce qui empêchait sa mère de lui montrer son amour, c'était la jalousie. Elle l'avait
tant de fois aperçue sur le visage de la déesse :
quand son père s'écriait « Diane, ma petite chérie », quand les gens admiraient quelqu'un
d'autre qu'elle, les traits maternels se contrac-
taient, un mélange de dépit et de colère la rendait moins belle. Cela durait un certain temps,
pendant lequel elle semblait avoir du mal à
respirer.

Mamie arriva en soupirant :

– Je ne suis pas sûre que tu aies eu raison de
le lui dire.

– Je savais, déclara l'enfant.

Les grands-parents la regardèrent, interdits.

De retour à la maison, son père la prit par la main et l'emmena dans une pièce inconnue, meublée d'un lit neuf.

– C'est ta chambre, ma chérie. Ta maman va avoir un bébé qui dormira dans ton berceau. Toi, tu auras ton lit, comme une grande. Mais tant que bébé n'est pas là, tu peux rester avec nous.

– Je peux déjà dormir ici ? demanda-t-elle.

– Ça te fait plaisir ? Oui, tu peux.

Diane était enchantée d'avoir cet endroit pour elle et y transporta ses jouets. Elle entendit son père dire à sa mère :

– C'est bien, la petite n'est pas jalouse du bébé.

Elle réfléchit : ainsi donc, elle aurait pu être jalouse, elle aussi. C'était un problème qui n'était pas réservé à la déesse. Cela la conforta dans l'idée que ce n'était pas si grave.

Elle s'interrogea également sur le nouveau bébé. Est-ce que sa mère serait jalouse de lui comme elle était jalouse d'elle ?

Un jour, tandis qu'elle mangeait avec ses grands-parents, le téléphone sonna. Mamie

poussa un cri, dit : «Nous arrivons» et raccrocha.

– Ton petit frère est né, annonça-t-elle.

Dans la voiture, Diane se rendit compte
qu'elle n'avait même pas imaginé la possibilité
que le bébé fût un garçon. Est-ce que cela changeait quelque chose ?

Maman tenait dans ses bras une minuscule
créature qu'elle regardait avec tendresse. Papa
accueillit sa fille en souriant :

– Ma chérie, viens voir Nicolas.

– Nicolas ! s'exclama mamie. On dirait Diane
en garçon.

– Vous avez raison, déclara Olivier. C'est le
portrait de sa sœur.

«Étais-je donc comme ça quand je suis née ?»
se demanda l'enfant en contemplant le bébé.
Elle le trouva beau et l'aima. Mais ce qui la
frappa fut l'évidente adoration de sa mère pour
Nicolas. «Elle n'est pas jalouse de lui», pensa
Diane.

– Il est magnifique, dit mamie.

Maman remercia, rayonnante. Pour l'enfan-
çonne, ce fut une révélation : sa mère pouvait

donc se réjouir d'un compliment adressé à sa progéniture.

Elle avait la réponse à sa question : oui, cela changeait tout, que le bébé fût un garçon. Étrangement, Diane n'en souffrit pas. Elle aimait qu'il y ait une explication, cela la rassurait. Elle ne songea pas qu'elle aurait dû être un garçon : à quoi une telle déploration eût-elle servi ? D'ailleurs, elle n'était pas sûre qu'elle eût préféré être un garçon.

– Est-ce que je peux le prendre dans mes bras ? demanda-t-elle.

Marie installa sa fille à côté d'elle dans le lit pour qu'elle puisse étreindre son frère sans danger. Diane connut un moment magique : blottie contre sa mère, elle sentit la petite vie chaude et remuante qu'on lui confiait. Il y avait désormais une nouvelle personne importante sous le ciel.

Diane se lança dans une profonde réflexion.

Le premier élément à analyser, c'était que sa mère préférait les garçons. Papa était un homme : sacrée pièce au dossier. Ce n'était pas tout. Elle avait observé que la déesse n'avait pas les mêmes manières quand elle était en compagnie masculine. Elle se tenait plus droite, elle était à la fois plus énergique et plus douce, elle disait des choses singulières.

Le second élément à sonder était la jalousie. Pouvait-on dire qu'elle se manifestait seulement vis-à-vis des femmes ? Ce n'était pas si simple. Maman avait déjà été furieuse contre papa, lui reprochant d'avoir regardé telle ou telle femme. Un jour, elle lui avait dit qu'à la pharmacie, elle était au moins aussi importante que lui. Bref, la jalousie reposait sur une obsession de la compétition qui ne l'opposait pas uniquement aux femmes. C'était bien compliqué. D'autant plus complexe que le suprême but de la jalousie consistait à être regardée avec envie par les hommes et les femmes : curieusement, là, il n'y avait plus de discrimination.

Il n'y avait pas de conclusion possible à ces ruminations ; au moins, maman était contente d'avoir un fils. Ce qui allait dans le sens du bonheur maternel faisait le bonheur du monde entier.

Cette fois, Marie n'eut pas l'ombre d'une dépression. En trois jours, elle fut sur pied. Une semaine plus tard, elle reprenait le travail à la pharmacie, tout en étant une mère dévouée pour Nicolas. Elle affirmait qu'un congé de maternité lui aurait tapé sur le moral. Quand elle allait chercher ses enfants le soir chez mamie, elle se jetait sur le bébé pour l'embrasser.

Il advint que la grand-mère s'isola avec Marie et lui dit :

– Tu as le droit de préférer l'un de tes enfants, mais ne le montre pas à ce point. C'est dur pour la petite.

– Penses-tu ! Elle ne remarque rien.

– Ne crois pas ça. Elle est très en avance sur son âge, elle est d'une précocité qui me stupéfie.

– Décidément, quand il est question de Diane, tout le monde exagère, dit Marie avec l'expression pincée que mamie reconnut.

« Elle est toujours jalouse », soupira l'aïeule.

Mais la petite ne semblait pas souffrir de cette situation. Quand mamie la voyait couvrir son frère de baisers, elle l'admirait : à l'évidence, Diane n'était pas jalouse du nouveau-né.

Il ne suffisait pas à Marie d'être heureuse, elle voulait montrer son bonheur à ceux qui lui paraissaient moins favorisés. Pour ce motif, elle se rapprocha de son aînée, qu'elle invita à déjeuner chaque dimanche avec sa famille. L'enfer est pavé de bonnes intentions ; semblablement, les intentions les plus mesquines peuvent être à l'origine de joies sincères. Brigitte, qui était une femme douce et bonne, se réjouit et dit à son mari :

– La maternité réussit à ma sœur. Elle a perdu son côté pimbêche, elle renoue avec moi. Ça me fait plaisir.

– Tu as raison, ma chérie. Je ne la reconnais plus, elle est épanouie et charmante.

En présence de Brigitte, Marie rayonnait et ne cessait de penser : « Elle qui a épousé un couvreur et qui a deux filles moches et stupides, comme elle doit m'envier ! » En vérité, Brigitte, qui aimait beaucoup sa vie, se réjouissait de la réussite de sa sœur. Véronique et Nathalie adoraient Diane et Nicolas. Alain s'entendait à merveille avec Olivier. Les déjeuners du dimanche étaient des moments de plaisir pour tout le monde.

Diane vénérait ses cousines, qui avaient deux ans de plus qu'elle : c'était des jumelles. Elle trouvait ravissantes ces fillettes qui se ressemblaient jusque dans leur façon d'être dodues et de sourire continuellement. Et tante Brigitte était si gentille, qui apportait à chaque fois une boîte de chocolats.

Un dimanche, après le café, Brigitte proposa un deuxième chocolat à sa nièce qui en raffolait. Marie s'interposa :

– Il n'en est pas question. Ça fait grossir.

– Voyons, Marie, ta fille est maigre comme un clou ! dit Brigitte.

– Encore faut-il qu'elle le reste, coupa Marie.

Diane frémit de la voix avec laquelle sa mère avait réagi. Le propos était peu aimable, mais la manière si sèche de le dire était bien pire, dont la signification ne lui échappa pas : « Je n'aime pas que ma fille ait du plaisir. » Elle vit que tante Brigitte l'avait elle aussi remarqué et en était choquée. L'enfant détestait qu'il y ait des témoins de la dureté de sa mère à son égard, car si elle pouvait, en son for intérieur, s'adresser une explication apaisante, elle ne pouvait pas la communiquer aux autres ni les initier à sa cosmogonie qui, en l'occurrence, s'exprimait ainsi : « La déesse m'aime, seulement, elle m'aime d'une curieuse façon, elle n'aime pas me montrer qu'elle m'aime parce que je suis une fille, son amour pour moi est un secret. »

Tante Brigitte, en cachette de sa sœur, enlaça sa nièce et chuchota à son oreille :

– J'ai un chocolat dans la main, je vais le mettre dans la tienne.

– Non merci, tatie, je n'en ai pas envie.

La tante n'insista pas mais considéra la petite avec perplexité.

Quand Brigitte et sa famille s'en allaient, Marie avait toujours quelques commentaires désobligeants : « Les jumelles ont encore grossi, non ? », ou : « Vous avez vu comme Alain dévore : c'est à croire qu'on ne le nourrit pas, chez lui ! »

Olivier souriait de ces vacheries qu'il trouvait révélatrices des relations d'affection entre sœurs.

À deux ans et demi, Diane commença l'école maternelle. Elle en fut ravie. La maîtresse était gentille et elle avait de longs cheveux qui la rendaient très belle. Elle n'avait pas le problème de la déesse, elle aimait autant les filles que les garçons et le montrait sans scrupule. Diane était si sage que la maîtresse l'adorait, elle la prenait dans ses bras et la petite sentait avec ivresse les longs cheveux lui caresser le visage.

D'habitude, c'était mamie qui venait chercher Diane quand l'école était finie. La maîtresse lui donnait un baiser sur chaque joue et disait : « À demain, ma chérie ! » Pâmée de bonheur, la petite se jetait dans les bras de sa grand-mère.

Parfois, c'était maman qui venait chercher sa fille. La passation de pouvoir entre les deux divinités s'avérait délicate. La maîtresse accourait pour dire à Marie le bien qu'elle pensait de Diane. Elle ne voyait pas que la mère pinçait les lèvres et que la fille pâlissait.

Un jour, maman exaspérée dit à Diane dans la voiture :

– Je ne supporte pas cette femme, je vais te changer d'école.

L'enfant eut l'esprit de déclarer :

– À la cantine, elle m'a empêchée de me resservir de mousse au chocolat.

Maman dut réviser son jugement, car il ne fut plus question de changement.

Pendant ce temps, Nicolas grandissait et marchait sur les traces de sa sœur : beau, intelligent, très en avance, charmant. Diane chérissait son frère et passait des heures à jouer avec lui : elle inventait qu'elle était un cheval, elle portait Nicolas sur son dos et galopait. Le petit garçon rigolait quand elle hennissait.

Olivier disait à son épouse qu'il ne la remercierait jamais assez pour tant de bonheur. La petite fille pensait que la jalousie n'était pas uniquement une mauvaise chose : sans elle, comment

aurait-elle su que sa mère aimait son père ? Pour
le reste, elle s'efforçait de la comprendre. Il
devait y avoir une raison. Sinon, comment expliquer qu'une déesse parée de toutes les qualités
puisse s'abaisser à des considérations pareilles ?

Diane aimait sa mère au point d'être capable
de saisir, à 4 ans, le sentiment d'injustice que
celle-ci éprouvait de ne pas avoir une vie à la
hauteur de son attente. Même si son existence
avait désormais progressé, elle n'était jamais que
pharmacienne et non Reine, et son mari avait
beau être l'époux le plus attentionné et épris, il
n'était pas Roi. L'amour de la fillette pour sa
mère était si grand qu'elle pourrait aller jusqu'à
concevoir ce que sa naissance avait représenté
pour Marie : la fin de son espoir d'idéal, la rési-
gnation. L'arrivée de Nicolas n'avait pas scellé
quoi que ce fût, c'était aussi pour cela que
maman lui montrait son affection.

Quand elle voyait la déesse embrasser le petit
garçon en omettant de l'embrasser elle, Diane
parvenait à outrepasser sa douleur et à penser
qu'elle deviendrait Reine un jour, non par ambition personnelle, mais pour pouvoir offrir la

couronne à sa mère et la consoler ainsi de ce qui, dans sa vie, lui paraissait étriqué.

Chaque nuit, elle se rappelait cette étreinte sublime qu'elle avait connue quand maman avait Nicolas dans son ventre : comment sa mère l'avait serrée, les mots d'amour qu'elle lui avait dits, et avec quelle voix. Ce souvenir la transissait de bonheur. Même si elle souffrait que Marie n'ait plus jamais eu ce genre d'attitude envers elle, elle avait construit un tel mythe autour de cet embrassement qu'elle se sentait capable d'y puiser la ferveur et l'énergie nécessaires à son ascension jusqu'au trône.

Nicolas était entré lui aussi à l'école maternelle et la première maîtresse avait manifesté sa joie de retrouver en lui tant de sa chère grande sœur. Diane aimait ce phénomène dynastique, dont elle supposait à raison qu'il durerait.

Maman fut à nouveau enceinte.

Nicolas déclara qu'elle avait un melon dans le ventre. Diane lui expliqua de quoi il s'agissait.

– Comment tu sais ?

– Parce que je me rappelle quand tu y étais.

Diane pria en secret pour que le nouveau bébé soit un garçon. Ce serait mieux pour tout le monde, à commencer pour lui. Maman aussi serait plus heureuse : quand Nicolas était né, elle irradiait.

Comme on ne pouvait pas exclure qu'il s'agisse d'une fille, Diane préparait des stratégies : elle couvrirait d'affection la pauvre petite pour la consoler de la froideur de sa mère. Car il ne fallait pas espérer que la malheureuse fasse preuve, d'entrée de jeu, de la force d'âme de sa grande sœur. En outre, l'éventuelle nouvelle venue aurait à subir la préférence marquée par maman pour son grand frère : comment supporterait-elle une injustice pareille ?

Tous les enfants prient sans forcément savoir à qui s'adresser. Ils ont un vague instinct, sinon du sacré, au moins de la transcendance. Les parents et les grands-parents de Diane ne croyaient pas en Dieu. Ils allaient à la messe pour ne pas contrarier l'ordre social. La petite fille demanda à mamie de l'accompagner à l'église. L'aïeule trouva cela normal et ne posa aucune question.

Diane essaya d'écouter le prêtre et s'aperçut très vite qu'elle ne comprenait pas son discours. Indifférente, elle joignit les mains et supplia Dieu que le troisième enfant de maman soit un garçon. Quand mamie ramena Diane à son père, elle lui dit :

– Olivier, votre fille a prié avec une ferveur que je n'ai jamais vue.

Papa éclata de rire. L'enfant eut honte.

Lors d'un repas du soir, Olivier prépara pour Marie des œufs mollets. Elle grimaça.

– Pourtant, quand tu étais enceinte de Diane, tu en voulais sans arrêt, dit-il.

– Oui. Maintenant, rien que de les voir, j'ai un haut-le-cœur.

La petite se réjouit : n'était-ce pas la preuve que le bébé n'était pas une fille ?

– Bon. Quelqu'un veut-il de ces œufs ? interrogea le père.

– Je veux bien, dit l'aînée.

Elle adora cette expérience : on croyait manger un œuf dur et puis non, le jaune coulait, il était d'une couleur infiniment plus belle et chaude. « Quand maman m'avait dans son ventre, elle en mangeait toujours », se répétait-elle avec fascination. Était-ce pour cela que ce mets produisait sur elle un tel effet ? Elle tremblait de plaisir et d'émotion.

– C'est mon plat préféré, déclara-t-elle.

Son imaginaire amalgama les deux nouveautés. Quand elle accompagna à nouveau mamie à la messe, l'église lui apparut comme un gigantesque œuf mollet dont le centre, Dieu, coulait en elle si elle le priait très fort ; elle se sentait emplie de cette couleur magique. Semblablement, en dégustant les œufs mollets que son père prit l'habitude de lui préparer, elle mangeait d'abord le blanc, laissant pour la fin le jaune si fragile qu'elle contemplait dans l'assiette avec admiration : c'était Dieu, puisque cela ne se répandait pas. Elle demandait une cuiller afin de ne pas détruire le miracle qu'elle mettait en entier dans sa bouche.

En juin, la maîtresse dit à mamie que Diane était prête pour entrer à l'école primaire :

– Elle ne sera pas la seule enfant de 5 ans et demi à commencer le CP. Elle est très intelligente et très sage.

Le grand-père les rejoignit, très ému, annonçant que le bébé venait de naître et qu'il fallait filer à l'hôpital.

– C'est un garçon ou une fille ? demanda Nicolas.

– Une fille.

Tandis que la voiture démarrait, elle sentit son cœur se figer d'angoisse. Elle pria pour la malheureuse petite sœur, non sans réfléchir à l'inanité de ses prières, qui n'avaient pas empêché

Dieu de se tromper de sexe pour le troisième enfant.

Rien ne se passa comme prévu. Maman n'était pas rose de bonheur, mais extatique ; telle la Vierge brandissant Jésus, elle leur présenta un bébé joufflu et dit :

– Voici Célia.

Contrairement à ses deux aînés qui avaient toujours été des poids plumes, Célia était potelée comme les bébés des publicités.

– Une belle petite toute ronde ! salua mamie.

– N'est-ce pas ? répondit Marie en serrant le nouveau-né contre son sein.

Diane vit que quelque chose clochait. À la naissance de Nicolas, maman était heureuse et aimait son bébé ; cette fois, maman délirait de joie et débordait d'amour pour Célia. Elle l'embrassait comme si elle allait la manger. Elle répétait, possédée, des comme je t'aime, mon bébé d'amour.

C'était obscène.

Nicolas courut vers sa mère et demanda s'il pouvait embrasser sa petite sœur.

– Oui, mon chéri, mais attention, ne lui fais pas mal, elle est fragile.

Papa et les grands-parents regardaient ce tableau avec adoration. Personne ne remarqua que Diane restait en retrait, raide, incapable de bouger même la paupière. Hypnotisée par la scène, elle composa une adresse muette à celle pour qui elle aurait tout donné :

Maman, j'ai tout accepté, j'ai toujours été de ton côté, je t'ai donné raison jusque dans tes injustices les plus flagrantes, j'ai supporté ta jalousie parce que je comprenais que tu attendais davantage de l'existence, j'ai enduré que tu m'en veuilles des compliments des autres et que tu me le fasses payer, j'ai toléré que tu montres ta tendresse à mon frère alors que tu ne m'en as jamais témoigné une miette, mais là, ce que tu fais devant moi, c'est mal. Une seule fois, tu m'as aimée, et j'ai su qu'il n'y avait rien de meilleur en ce monde. Je pensais que ce qui t'empêchait de me manifester ton amour, c'était que je sois une fille. Or, à présent, sous mes yeux, l'être que tu arroses de l'amour le plus profond que tu aies jamais manifesté, c'est une fille. Mon explication de l'univers s'écroule. Et je comprends que, tout simplement, tu m'aimes à peine, tu m'aimes si peu que tu ne penses même pas à dissimuler un rien ta passion folle pour ce bébé. La vérité, maman, c'est que s'il est une vertu qui te manque, c'est le tact.

Diane cessa d'être un enfant à cet instant. Pour autant, elle ne devint ni une adulte ni une adolescente : elle avait 5 ans. Elle se transforma en une créature désenchantée dont l'obsession fut de ne pas sombrer dans le gouffre que cette situation avait creusé en elle.

Maman, j'ai essayé de comprendre ta jalousie, et en guise de gratitude, tu ouvres devant moi le gouffre dans lequel tu es tombée, à croire que tu cherches à m'y faire chuter, mais tu n'y réussiras pas, maman, je refuse de devenir comme toi, et je peux te dire que sans même y être tombée, rien que sentir l'appel de ce gouffre, j'ai si mal que je pourrais hurler, c'est comme la morsure du vide, maman, je comprends ta souffrance mais ce que je ne comprends pas, c'est ton peu d'égards pour moi, en vérité tu ne cherches pas à partager ton mal avec moi, cela t'est juste égal que je souffre, tu ne le vois pas, c'est le dernier de tes soucis et c'est cela le pire.

Il fallait donner le change : Diane embrassa Célia le plus chaleureusement qu'elle put et personne ne remarqua que son enfance était morte.

L'été fut un enfer. Il n'y avait pas la diversion de l'école. Chaque jour, il fallait reprendre conscience de cette abjection, maman qui arrivait au petit déjeuner en gazouillant avec Célia qu'elle ne lâchait presque jamais, à chaque minute il fallait lutter contre l'appel du gouffre dans la poitrine, il fallait ne pas haïr ce bébé qui n'était pas responsable de la débauche de cet amour maternel, même si elle ne pouvait s'empêcher de lui trouver de la complaisance – mais qui pouvait lui garantir qu'à sa place elle n'en eût pas fait autant, il fallait ne pas haïr maman qui se laissait aller à ces débordements sans l'ombre d'une pudeur envers son entourage – toujours ce cruel manque de tact.

Diane avait prouvé qu'elle pouvait comprendre beaucoup de choses inhumaines. Que sa mère lui préfère son frère, elle l'avait accepté avec une exceptionnelle grandeur d'âme. D'habitude, les enfants n'admettent pas de ne pas avoir la première place dans le cœur maternel, surtout quand ils sont les aînés. Mais Marie avait bafoué la noblesse de Diane avec tant d'exagération que la petite fille ne pourrait jamais le lui pardonner.

Mi-août, n'y tenant plus, Diane supplia mamie de la garder.

– Qu'est-ce qui se passe, ma chérie ? interrogea la grand-mère.

La fillette ne put pas répondre. L'aïeule la regarda dans les yeux et vit que cela n'allait pas. Comme elle l'aimait, elle n'exigea pas d'explication. Mais à la facilité avec laquelle Marie accepta de lui confier son aînée, elle devina bien des choses.

Nicolas ne tarda pas à saisir que quelque chose clochait. Sa mère continuait de l'aimer mais cela n'avait aucune commune mesure avec les transports d'amour qu'elle réservait à Célia. Quand il vit que Diane demandait l'asile grand-maternel, il déclara à son aînée que lui resterait à la maison « pour empêcher maman de manger Célia comme un gâteau à la noix de coco ».

Ce n'était pas une image : l'excès d'amour de Marie pour Célia évoquait la pâmoison éprouvée par certaines saintes du XIIIe siècle au moment d'avaler l'hostie. C'était de la gourmandise sacrée.

Olivier ne s'inquiéta pas du désir de son aînée d'aller habiter chez ses grands-parents : il savait qu'elle les adorait, et elle reviendrait chaque week-end. Il partageait la passion de Marie pour Célia : même s'il ne la vivait pas de manière aussi fusionnelle, il trouvait la nouvelle venue particulièrement craquante. Quand son épouse serrait la petite dans ses bras, il étreignait ce duo insécable et il fondait.

Il était un bon père en ceci qu'il aimait profondément ses trois enfants et leur montrait son attachement. Mais il avait pour sa femme un amour qui le rendait aveugle à ses défauts et aux souffrances qu'elle infligeait à Diane. Il trouvait toujours un moyen d'expliquer les bizarreries domestiques de façon raisonnable et acceptable.

Lorsque sa mère lui demanda pourquoi son aînée passait la semaine dans sa belle-famille, il répondit que cela déchargeait Marie, qui avait fort à faire avec le bébé, et que Diane avait toujours eu une relation privilégiée avec les parents de son épouse. Il ajouta qu'elle était désormais une grande fille qui manifestait déjà son besoin d'autonomie.

Quand son père s'étonna que Marie ne revienne pas plus vite travailler à la pharmacie, alors qu'après la naissance de Nicolas elle avait si peu tardé, il répondit :

– Elle ne veut plus avoir d'enfant. Du coup, elle a conscience de pouponner pour la dernière fois et elle veut s'y consacrer à fond.

Pouponner : ce verbe ridicule exprimait bien faiblement le comportement de sa femme. Seule la peur du qu'en-dira-t-on faisait qu'elle daignait mettre le bébé dans son berceau pour la nuit, sinon elle l'aurait gardé auprès d'elle pour dormir. Le matin, elle s'éveillait avec l'obsession de son rejeton : elle courait jusqu'au petit lit et s'emparait de sa bien-aimée en gémissant d'attendrissement, mon pain au chocolat, ma brioche toute chaude, et commençait à la manger de baisers. Cette dévoration ne s'arrêtait jamais. Quand Marie buvait son café, entre deux gorgées, comme d'autres tirent sur leur cigarette, elle grignotait la joue de sa fille. Au cours de la journée, quoi qu'elle fît,

elle avait toujours Célia auprès d'elle, le plus souvent dans le sac kangourou qu'elle avait reçu
pour la naissance de Diane et qu'elle n'avait
jamais étrenné. Elle adorait désormais ce harna-
chement qui lui permettait de sentir en permanence l'amour de sa vie contre son ventre.

Curieusement, elle ne l'allaita pas. Elle n'avait
jamais songé à donner le sein à Diane ni à
Nicolas. Pour Célia, elle se posa la question. En
1977, il lui parut que ce procédé ternirait son
image de mère moderne et que la petite elle-
même rougirait de cette alimentation préhisto-
rique.

Le sac kangourou était une invention formidable. Si elle n'avait pas craint de sembler une
maman débordée, elle aurait repris le travail à
la pharmacie avec l'enfant sur son ventre. Il lui
importait tellement d'avoir l'air de tout maîtriser, d'être une femme accomplie.

Il n'empêche que Célia fut pour elle une
forme de rédemption. Quand elle avait son
enfant dans ses bras, elle cessait enfin de se voir
de l'extérieur. Pour démentielle que fût sa tendresse maternelle, elle lui permit de ne plus

envisager les choses uniquement sous l'angle de l'envie qu'elles pouvaient susciter.

Marie ne reprit le travail à la pharmacie que deux ans et demi plus tard, à l'entrée de Célia à l'école maternelle. Autant ses deux aînés étaient des élèves idéals, sages et réfléchis, autant la petite dernière se révéla insupportable, habituée à ne subir aucune contrainte. La maîtresse en parla à Marie qui haussa les épaules.

Un jour que Célia était en train de sangloter en hurlant et en se roulant par terre en classe, la maîtresse eut l'idée d'aller chercher Diane en plein cours. La fillette comprit aussitôt la nature du problème et suivit son ancienne maîtresse. Elle trouva sa petite sœur à l'état de bête fauve et marcha résolument vers elle.

– Allons, c'est fini maintenant, lui dit-elle. Tu n'es plus un bébé, Célia. À l'école, on ne se conduit pas comme ça.

La petite obéit aussitôt. Désormais, chaque fois qu'elle piquait sa crise, on appelait Diane au secours.

Célia éprouvait de la vénération pour cette

grande sœur de 8 ans si sérieuse et si belle. Diane avait pour l'enfant gâtée une affection agacée qu'elle masquait derrière l'autorité bienveillante d'une aînée pleine de sagesse.

Elle en parlait souvent avec Nicolas :

– Toi qui es auprès d'elle pendant la semaine, n'hésite pas à jouer ton rôle de grand frère. Ce n'est pas la faute de Célia si maman est folle d'elle.

– Pas sa faute, c'est vite dit.

– Elle n'a jamais connu autre chose.

Il n'empêche que Diane avait du mal à se maîtriser quand elle passait les week-ends à la maison. Lorsqu'elle voyait Célia broyée d'amour dans les bras de sa mère, elle se rappelait l'étreinte de celle qui avait été naguère sa déesse et elle sentait se rouvrir en elle le gouffre du désespoir.

Elle attendait avec impatience l'arrivée de sa tante, le dimanche midi, qui signalait la diversion salvatrice. Et le dimanche soir, quand elle reprenait ses quartiers chez ses grands-parents, elle respirait : l'épreuve était finie. Elle renouait avec la vie ordinaire, à l'abri.

Excellente élève, elle était appréciée tant des professeurs que de ses condisciples. Bonne camarade, on ne lui connaissait pas d'ennemi, ni d'amitié paroxystique. C'était une fillette équilibrée qui cachait bien sa blessure.

Même si cela ne procédait d'aucune préméditation, cela l'arrangeait de ne pas avoir d'ami véritable. Elle avait observé les mœurs de cette engeance : on se confiait, on allait dormir les uns chez les autres, parfois, on allait jusqu'à pleurer dans les bras de l'élu. Diane aimait d'autant moins ces pratiques qu'elle ne pouvait pas se les permettre. Comment aurait-elle pu avouer son secret à qui que ce soit ?

Son grand-père tentait parfois d'aborder la question avec elle :

– Tu sais, ta mère était une enfant capricieuse. À l'école, elle n'avait pas de bonnes notes et elle recevait des observations pour son attitude dissipée. À la maison, elle pouvait bouder pendant des heures sans qu'on comprenne pourquoi. Comment veux-tu qu'elle se reconnaisse en toi, qui es la première de la classe, qui souris tout le temps et que tout le monde aime ?

Diane ne répondait pas. Pouvait-il y avoir une explication à sa souffrance ? Sa mère n'était pas consciente de sa cruauté. Elle semblait persuadée d'être une mère excellente. Marie avait ce trait des gens ordinaires de proclamer des insanités telles que : « Moi, vous me connaissez, je veux être juste », ou : « L'amour de mes enfants passe avant le reste. » La fillette l'observait quand elle se lançait dans ce genre de déclaration : sa mère croyait ce qu'elle disait.

En son for intérieur, Diane pensait que les gens étaient fous. Pour des motifs mystérieux, ses grands-parents échappaient à la démence collective. Elle avait fini par trouver que même son père et son frère y participaient : son père ne voyait rien de pathologique à l'attitude maternelle et son frère s'en accommodait. Quant aux autres, certes, ce n'était pas leurs affaires, mais comment pouvaient-ils ne pas s'étonner de cette femme qu'en dehors des horaires scolaires on ne voyait jamais sans Célia ? Olivier s'était contenté de dissuader son épouse de porter continuellement dans ses bras une enfant de 4 ans :

– C'est mauvais pour ton dos, ma chérie.

Au fond, Diane regrettait que sa mère ait tenu compte de cette remarque. Si elle avait continué à porter en public une fillette trop âgée, on aurait pu détecter la pathologie de son comportement.

À croire que mamie lisait dans ses pensées, elle eut ce propos :

– Qu'est-ce qu'on peut faire ? Ta mère n'est pas assez dérangée pour qu'on intervienne. Ce n'est pas une bonne mère pour toi, ni pour Célia. La loi ne peut rien contre ça.

D'autant que Nicolas servait de certificat de santé : avec lui, Marie se conduisait comme une mère normale, affectueuse et modérée.

Comment aurait-on pu qualifier de toxique un milieu familial qui avait engendré un garçon à ce point équilibré ?

Le vendredi soir, quand Diane rejoignait sa famille, son père lui sautait au cou et l'appelait « ma princesse ». Son frère l'embrassait et lui montrait ses nouveaux trésors : baskets, bandes dessinées, Duplo. Sa mère se contentait de marmonner : « Tiens, tu es là, toi », et continuait son chemin, escortée de son satellite, Célia. Celle-ci vénérait sa sœur mais n'osait pas le montrer en présence de maman.

Quand Diane interrogeait Nicolas, il se contentait de hausser les épaules :

– Maman est timbrée avec Célia, c'est tout. Pour le reste, ça va.

– Qu'est-ce qu'elle dit sur moi, en mon absence ?

– Elle ne parle jamais de toi.

Quand Célia eut 6 ans, Olivier décréta qu'elle ne pouvait plus dormir dans la même chambre que ses parents. On l'installa dans la chambre de Diane, où il y eut désormais deux lits.

Diane fit la tête quand elle fut mise devant le fait accompli. La première nuit avec Célia fut éprouvante. D'abord il fallut subir les adieux de Fontainebleau entre maman et fifille : « Non, ma chérie, je ne t'abandonne pas. C'est seulement la nuit, ça ne dure pas longtemps. Tu es grande, maintenant, tu ne peux plus dormir avec papa et maman. Ta grande sœur veille sur toi. » Le tout décliné une dizaine de fois, avec autant de larmes chez l'enfant que chez la mère.

Olivier finit par chercher son épouse en affirmant qu'il fallait laisser dormir les petites, à présent. Faut-il préciser que Diane n'eut droit à aucun bonsoir de maman ?

À peine furent-elles seules que Célia se précipita dans le lit de sa sœur.

– Maman a dit que tu devais veiller sur moi.

– Fiche-moi la paix, je dors.

– Je vais hurler, maman va te gronder.

– Vas-y.

Éblouie par cette fermeté qui lui était inconnue, la petite sœur étreignit la grande.

– Je t'aime, Diane.

– Qu'est-ce qui te prend ?

– Pourquoi tu n'es pas là, la semaine ? Je t'aime tellement. Je vais mieux quand tu es là.

– N'importe quoi.

– Si, c'est vrai. Maman m'aime trop, elle ne me laisse jamais tranquille.

– Tu adores ça et tu en redemandes.

– Je ne sais pas quoi faire.

Diane sentit de la vérité dans cette parole et se tourna vers sa sœur.

– Tu dois lui dire que ça ne va pas.

– Mais j'aime maman.

– Bien sûr. Justement, tu dois le lui dire parce que tu l'aimes. Tu dois lui dire qu'elle doit te laisser tranquille, qu'elle te rend malade avec ses bisous, qu'elle t'empêche de grandir.

– Dis-lui, toi.

– Si c'est moi qui le dis, elle ne comprendra pas. Il faut que ça vienne de toi.

– Je le dis quand ?

– Quand tu seras seule avec elle. Et maintenant, retourne dans ton lit.

– S'il te plaît, je peux dormir auprès de toi ?

– Bon. Rien que cette nuit, alors.

La petite se pelotonna contre la grande.

Diane ne put se défendre d'un attendrissement. Il fallait reconnaître que Célia était adorable. Elle s'endormit en l'enlaçant.

Le lendemain, quand leur mère appela Célia pour lui donner son bain, Diane soupçonna que sa sœur choisirait cette occasion pour lui parler et se cacha derrière la porte.

– Maman, tu dois me laisser tranquille, entendit-elle.

– Que dis-tu, ma chérie ? demanda Marie d'une voix alarmée.

– Tu dois me laisser tranquille. Tu me rends malade avec tous tes bisous.

– Tu n'aimes pas mes bisous ?

– Si, mais il y en a trop.

– Pardon, ma chérie, répondit la mère au bord des larmes.

Diane retint son souffle. Cela avait donc marché ! À cet instant, elle entendit :

– C'est Diane qui m'a dit de te le dire.

– Ah ! Je comprends. Ta sœur est jalouse, tout simplement.

– Pourquoi elle est jalouse ?

– Parce que je ne lui donne pas autant de bisous qu'à toi, ma chérie.

– Et pourquoi tu ne lui donnes pas autant de bisous qu'à moi ?

– Parce qu'elle est froide. Elle l'a toujours été. Est-ce que mes bisous te dérangent vraiment ?

– Non, maman, je les adore.

La grande sœur, qui en avait assez entendu, s'en alla, décomposée. Elle s'assit sur son lit en pensant : « Jalouse, moi ? Le monde à l'envers ! Et si je suis froide avec toi, maman, c'est parce que tu m'as forcée à le devenir. »

À 11 ans, Diane sentit son univers s'effondrer. Jusqu'alors, si elle avait pu tenir, c'est parce qu'elle croyait sa mère inconsciente de sa souffrance. Et là, elle découvrait que dans la version maternelle, c'était elle la coupable de l'absence de tendresse qui lui était adressée. L'accusation de jalousie relevait du comique, comparée à celle-là. Comment allait-elle continuer à vivre, étouffée qu'elle était par le sentiment d'une injustice démentielle ?

Elle passa le reste du samedi comme un automate. La nuit, Célia la rejoignit dans son lit. Diane ne bougea pas.

– J'ai parlé à maman.

– Je sais, j'ai entendu.

– C'est mal d'écouter aux portes.

– Tu as raison, va me dénoncer à maman.

– Elle a dit que…

– Je suis au courant. Tu es une idiote, Célia, d'avoir dit que ça venait de moi. Tu as menti. C'est toi qui t'es plainte à moi. Je n'aurai plus jamais confiance en toi.

– C'est quoi la confiance ?

– C'est ce que tu ne m'inspires pas. Retourne dans ton lit.

Célia s'exécuta en pleurnichant. Diane avait conscience d'être dure : qu'est-ce qu'une gosse de 6 ans pouvait comprendre à cette affaire ? Mais elle souffrait tant que le sort de sa petite sœur l'indifférait.

Quelques jours plus tard, comme elle rentrait de l'école, Diane dut contourner des travaux et s'aventura sur la chaussée. Elle vit un camion rouler droit vers elle. Hypnotisée par ce bolide, elle ne s'écarta pas. Il pila trop tard : elle fut renversée. Le conducteur épouvanté appela les secours. Il raconta aux ambulanciers l'attitude étrange de la fillette, qui heureusement n'avait rien de sérieux.

Ce fut Olivier qui reçut l'appel de l'hôpital. Il arriva en quatrième vitesse et prit sa fille dans ses bras.

– Ma chérie, qu'est-ce qui s'est passé ?

Diane dit qu'elle avait eu peur et qu'elle n'avait pas eu le temps de courir vers le trottoir.

– Promets-moi que tu feras très attention, désormais.

Un médecin assistait à cet échange. Lorsque Olivier lui demanda s'il pouvait ramener sa fille, il répondit qu'il préférait la garder en observation jusqu'au lendemain. Quand son père fut parti, le docteur vint regarder la très jeune patiente. Il sentit qu'elle était assez intelligente pour qu'il puisse lui parler sans détour.

– Est-ce que tu veux vivre ou est-ce que tu veux mourir ? interrogea-t-il avec une extrême gravité.

Stupéfaite, Diane ouvrit grand les yeux. Elle sentit que la question exigeait une vraie réponse et réfléchit. Après une minute, elle dit :

– Je veux vivre.

Le médecin pesa cette déclaration et finit par dire :

– Je te crois. Demain, tu pourras rentrer chez toi.

Diane passa la nuit, dans sa chambre d'hôpital, à repenser à ce dialogue. Le docteur lui avait posé une seule question. Celle qu'elle n'avait pas osé se poser à elle-même. Rien qu'en écoutant son bref entretien avec son père et en l'observant, il avait compris. En une interrogation, il avait changé son destin, non seulement parce qu'elle avait décidé qu'elle vivrait, mais aussi parce qu'elle avait enfin un objectif : exercer la profession de cet homme.

Elle serait médecin. En regardant et en écoutant les gens avec attention, elle sonderait leur corps et leur âme. Sans plus de bavardages que le docteur de la veille, elle mettrait le doigt sur la faille et sauverait des êtres humains. La fulgurance de son diagnostic surprendrait.

À 11 ans, se découvrir un but change tout. Que lui importait son enfance gâchée ? Ce qu'elle voulait désormais, c'était devenir adulte pour accéder au statut sublime de docteur. La vie conduisait à quelque chose d'important, il ne s'agissait plus d'endurer des tourments absurdes, puisque même la souffrance pouvait servir à explorer celle des malades. Ce qu'il fallait, c'était grandir.

Au collège, Diane vit ses camarades se livrer aux prémices de l'amour. Du jour au lendemain, des garçons et des filles qui avaient passé des années à jouer à la balle ensemble se mirent à se regarder autrement. Au début, il y eut des liens d'une simplicité évangélique. Commencèrent ensuite les ruptures, inaugurant l'ère de la complexité. Ce qui brisait les cœurs, ce n'était pas la fin d'une histoire, mais la rapidité avec laquelle l'ex aimait à nouveau. D'aucuns, par pure diplomatie, cachaient leur jeu. La situation devenait florentine. On ne s'y retrouvait plus.

C'est ainsi que débutèrent les commérages. Qui était avec qui ? On était pourtant sûr d'avoir vu Untel embrasser Untelle. Oui, mais c'était hier. Entretemps, de l'eau avait coulé sous les ponts.

Diane se demandait si sa mère n'avait pas eu raison, finalement, de la qualifier de froide. Elle regardait de haut ces manèges. Quand les copines lui faisaient des confidences, elle disait : « Tu vois bien que c'est du cinéma ! » Les copines répondaient : « Tu verras quand ce sera ton tour ! »

Comme elle était la plus belle fille de la classe, elle attirait les prétendants. Elle leur adressait à tous une fin de non-recevoir. Elle consacrait le plus clair de son temps à l'étude. On la voyait toujours à la bibliothèque, compulsant des livres de biologie aux dimensions décourageantes.

Les grands-parents s'inquiétaient un peu :

– Tu es si sérieuse. Tu devrais aller t'amuser avec tes amies.

– Je n'aime pas m'amuser. Je trouve ça ennuyeux.

– Tu vas te dessécher dans les livres.

– Je n'ai pas l'impression de me dessécher.

En effet, à 14 ans, chaque matin, sa beauté frappait davantage. Échappant à l'acné et aux bouffissures de l'adolescence, elle grandissait en sveltesse et en sagesse. Ceux qui ne la connaissaient pas croyaient qu'elle faisait du ballet, tant les moindres de ses gestes semblaient l'expression d'une chorégraphie. Elle était toujours très soignée, sa chevelure noire relevée en chignon. À l'âge où les filles trouvent trop cool d'arriver en classe avec un jean troué et une chemise de bûcheron, elle portait les tenues strictes des danseuses classiques à la ville.

– Tu es limite chiante, lui dit Karine qui se considérait comme son amie la plus lucide.

– Pourquoi limite ? fut l'éclairante réponse de Diane.

Déroutés, les adolescents la respectaient tout en lui adressant de moins en moins la parole. Mais jamais personne n'eût osé se moquer d'elle, même en secret : quelque chose en elle suscitait la crainte et décourageait la bassesse.

Sa mère continuait d'être l'unique à ne pas être séduite. Le progrès, c'était que Diane ne tentait même plus de lui plaire. Quand elles se voyaient le week-end, elles échangeaient un simple bonjour de courtoisie. Non que la jeune fille ait atteint l'indifférence dont elle rêvait et qui l'eût empêchée de souffrir, non que Marie ait cessé d'éprouver des bouffées de jalousie à chaque commentaire flatteur adressé à son aînée, mais parce que leur lien faisait de chacune une spectatrice et en aucun cas une interlocutrice.

L'amour de Diane pour ses grands-parents n'avait cessé de croître, d'autant qu'ils commençaient à décliner. L'aïeule toussait du matin au soir, et l'aïeul avait un taux de cholestérol plus que préoccupant. Elle regrettait de ne pas être déjà médecin pour pouvoir les soigner. Elle avait peur de leur mort et redoutait de ne pas être diplômée quand le drame arriverait.

L'entrée au lycée changea sa vie. Pour la première fois, il y avait de nouvelles têtes. Diane repéra une jeune fille blonde au beau visage hautain. Karine lui dit à l'oreille : « Regarde-moi cette bourge ! » Elle portait une chemise blanche et un pantalon de flanelle grise, comme si elle avait dû obéir à quelque uniforme. Quand il fallut se présenter, l'inconnue parla d'une voix grave que Diane trouva d'une classe folle :

– Élisabeth Deux.

Des hurlements de rire saluèrent cette déclaration. Le professeur soupira :

– Votre vrai nom, mademoiselle.

– C'est mon vrai nom. Mes parents s'appellent Monsieur et Madame Deux. Et comme ils ne manquent pas d'humour, ils m'ont baptisée Élisabeth.

– C'est pour ça que tu te prends pour la reine d'Angleterre ? cria quelqu'un.

– Bravo, tu n'es que le 355e à me faire cette réflexion, dit-elle en souriant.

Diane ressentit quelque chose d'inconnu : son âme se dilata d'enthousiasme et d'admiration. Elle déplora ses 14 ans et demi qui ne lui permettaient plus d'aller simplement dire à Élisabeth : « On est amies, d'accord ? » Il fallut consentir de longs efforts et braver des rebuffades. Chaque fois qu'elle lui posait une question, la jeune fille blonde répondait par monosyllabes.

– Ne t'obstine pas, lui dit Karine, on n'est pas de son monde. Qu'est-ce que tu lui trouves, à cette idiote ? Tu es amoureuse ?

– C'est ça, soupira Diane, les yeux au ciel.

Élisabeth venait de l'autre collège de la ville, beaucoup plus chic, où sa mère était professeur

de mathématiques. Son père était premier violon à l'Opéra. Elle appartenait bel et bien à un
autre monde et ne cherchait pas à le cacher.

— Ça ne te gêne pas trop de fréquenter des bouseux comme nous ? lui demanda avec morgue
un garçon de la classe.

— Pas plus que ça ne te dérange de côtoyer
une altesse telle que moi, répondit-elle.

Diane restait ébahie face à des répliques de
cette espèce. En effet, comment osait-elle espérer l'amitié d'une personne aussi exceptionnelle
d'esprit et d'audace ? La vague affection qu'elle
éprouvait pour Karine n'avait rien à voir avec
l'élan qui l'entraînait vers Élisabeth. Elle savait
que ce n'était pas de l'amour, parce que cela ne
faisait pas mal de la même manière que sa mère.
Le dépit de ne pas plaire à Élisabeth donnait
seulement envie de se battre pour la gagner à soi.

Karine, qui verdissait de jalousie, lui dit que
la place était déjà prise :

— Sa meilleure amie est la fille du chef
d'orchestre de l'Opéra. Tu n'as aucune chance.

— Comment s'appelle-t-elle ?

— Véra, répondit-elle comme pour souligner
la supériorité écrasante de la rivale.

À la sortie du lycée, Diane vit Élisabeth sauter au cou d'une grosse blondasse en s'écriant : « Véra ! » Elle décida que rien n'était perdu.

Elle lui joua le grand jeu. À chaque pause, elle venait s'asseoir à côté d'Élisabeth. Un jour, elle lui dit, avec un sérieux extrême :

– Tu sais, le nuage de Tchernobyl ne s'est pas arrêté à la frontière.

– Pourquoi tu me parles de ça ?

– Notre espérance de vie est forcément amoindrie, à cause des radiations. Devenons amies.

– Je ne vois pas le rapport.

– Dans ce lycée, tu as toujours l'air de t'ennuyer. C'est dommage de gaspiller le temps d'une existence écourtée. Avec moi, tu ne t'ennuieras plus.

Élisabeth éclata de rire. Elles devinrent inséparables. Diane osa lui confier son secret. La jeune fille blonde l'écouta en silence et soupira. Elle finit par demander :

– C'est pour ça que tu habites chez tes grands-parents ?

– Oui.

Comme il n'y avait plus d'omerta, Diane

accepta l'invitation d'Élisabeth à venir chez elle. Monsieur et Madame Deux adoptèrent la nouvelle meilleure amie. Leur fille était enfant unique : « Tu es sa sœur », dirent les parents. Les adolescentes passèrent la nuit entière à parler. Diane eut le tact de ne poser aucune question au sujet de Véra, qu'on ne revit jamais plus.

Mamie se réjouit de cette toute nouvelle amitié :

– Enfin, tu te conduis comme une fille de ton âge ! Je vais pouvoir mourir tranquille.

– Tu n'es pas drôle du tout, répondit Diane avec fureur.

En effet, elle n'était pas drôle : elle fut prophétique. Le lendemain, la voiture des grands-parents fut percutée par un camion dont le conducteur s'était endormi au volant : ils moururent sur le coup. Diane était au lycée quand elle apprit la nouvelle. Elle s'évanouit.

Lorsqu'elle s'éveilla, elle était à l'hôpital. Le médecin qu'elle n'avait plus vu depuis ses 11 ans était à son chevet.

– Vous êtes ici depuis une semaine. Vous avez

eu 41 de fièvre et des convulsions. Je n'ai jamais vu quelqu'un réagir si violemment à un deuil.

– Mes grands-parents étaient tout pour moi.

– On n'a pas pu attendre votre réveil pour les enterrer. Cela vaut mieux : vous n'auriez pas supporté.

Diane pleura à gros sanglots.

– Je n'ai même pas pu leur dire au revoir !

– Vous vous recueillerez sur leur tombe. Il y a autre chose, jeune fille. Je me souviens de vous. J'ai eu l'occasion de m'entretenir à votre sujet avec votre meilleure amie et avec votre famille. Vous n'irez pas habiter chez vos parents. Les parents de votre amie sont disposés à vous héberger.

– Comment mon père et ma mère ont-ils pris la chose ?

– Votre père a semblé un peu blessé. Votre mère a seulement déclaré qu'elle n'était pas surprise et qu'il valait sans doute mieux que vous ne veniez plus le week-end. Rassurez-vous, votre amie m'a expliqué.

Diane écarquilla les yeux.

– Croyez-vous que ma mère me déteste ?

– Non. Votre mère jalousait sûrement le lien

que vous aviez avec ses parents. Elle les aimait très fort. Il vaut mieux, pour elle comme pour vous, que vous n'ayez plus affaire à elle pendant quelque temps.

– Je perds à la fois mes grands-parents et mes parents, mon frère et ma sœur.

– Votre frère, vous le verrez au lycée. Et vos parents, vous les retrouverez. Un jour, votre rapport avec votre mère ne sera plus toxique. Je pense que pour le moment ce serait dangereux pour vous de trop la côtoyer.

– Et ma sœur ?

– Je suis au courant du surinvestissement qu'elle subit. Aucune loi n'interdit de couver son enfant à ce point, mais dans un certain sens elle est plus à plaindre que vous.

Monsieur et Madame Deux accueillirent Diane avec toute l'affection qu'ils lui avaient jusque-là témoignée : elle était la sœur de leur fille, et donc leur enfant. Diane avait sa chambre, voisine de celle d'Élisabeth.

Une existence neuve commença. Au moins

trois soirs par semaine, les jeunes filles allaient à l'Opéra assister à des concerts.

– Pourquoi n'y allais-tu pas avant moi ? demanda Diane.

– J'avais l'impression d'y être obligée. Depuis toi, c'est un plaisir.

Le lycée jasa. La classe les appelait les gouines. Les intéressées ne s'en préoccupèrent pas. Diane perdit un peu de son prestige, Élisabeth en gagna beaucoup.

Monsieur Deux convainquit sa nouvelle fille d'apprendre le violon. Excellent artiste, il se révéla piètre professeur ; Diane, elle, montra plus de zèle que de don. Les rares fois qu'elle parvint à tirer de son instrument un son émouvant, elle éclata en sanglots convulsifs. L'expérience tourna court.

Parfois, elle était capable de voir la beauté de sa vie présente, l'harmonie qu'elle connaissait chez les Deux, l'éloignement de ses épreuves d'antan. C'était pour rechuter plus grièvement quand elle voyait son frère au lycée ou quand son père, qui n'avait visiblement rien compris à la situation, venait l'attendre à la sortie des cours et l'embrassait longuement, d'un air douloureux.

Les années passèrent sans qu'elle émerge du deuil de ses grands-parents. Un jour qu'elle voulait se recueillir sur leur tombe, elle eut le choc d'y apercevoir sa mère en pleurs. Elle s'enfuit sans être vue de celle-ci, mais la souffrance de la revoir fut si vive qu'elle mesura dans son âme l'ampleur des dégâts.

Seul le travail ne représentait aucun danger. Elle s'y engouffra. Elle réussit le bac avec la plus haute mention et s'inscrivit en médecine à l'université de la ville, qui avait grande réputation. Comme elle voulait ne rien devoir à personne, elle chercha un boulot d'étudiant pour l'été.

Élisabeth déplora qu'elle ne les accompagne pas en vacances, contrairement aux étés précédents. Elle-même s'était inscrite en droit, avec l'ambition de devenir avocate.

Dès la rentrée universitaire, Diane eut un rythme inhumain. La faculté de médecine lui donnait accès à des emplois annexes plus rémunérateurs mais qui lui prenaient une énergie folle.

Élisabeth se plaignait de ne plus passer de temps avec son amie et se tourna vers les amours ordinaires de son âge. Elle réussit à entraîner Diane à diverses soirées où celle-ci s'ennuya ferme.

– Ton amie est très belle, mais elle tire la gueule en permanence, disait-on à Élisabeth.

– C'est pour se donner un genre, répondait-elle.

Le genre plut. Les prétendants accouraient; c'était à qui parviendrait à lui arracher un sourire. Personne n'y arriva.

Élisabeth eut une histoire plus sérieuse avec un certain Hugues. Elle délaissa Diane, qui en conçut du chagrin; de dépit, elle eut une histoire avec un dénommé Hubert, dont elle n'était pas amoureuse. Hubert brûlait pour cette si belle fille distante et mystérieuse. Quand ils faisaient l'amour, c'était comme si elle n'était pas là. Il en souffrit et s'éprit davantage.

– Je ne t'aime pas, lui dit-elle un matin en partant à ses cours.

– Ça viendra, lui répondit-il d'un air sombre.

Ça ne vint pas. Au bout de trois ans, elle eut le courage de le quitter.

– Comment as-tu pu rester si longtemps avec un homme que tu n'aimais pas ? demanda Élisabeth.

– Lui ou un autre, fut l'unique réponse de Diane.

– Tu es un drôle de cas. Et pourquoi as-tu rompu, alors ?

– Parce que je ne peux pas m'empêcher d'espérer mieux.

Élisabeth trouva la réponse rassurante, même si elle ne voyait pas comment son amie, qui travaillait douze heures quotidiennes, pourrait vivre un jour la grande rencontre.

En septième année de médecine, au moment de devenir interne, Diane choisit la cardiologie. L'un des maîtres de conférences, Madame Aubusson, produisit sur elle une impression immense.

D'une éloquence extraordinaire, Madame Aubusson était un modèle de rigueur et d'intelligence. Là où les autres professeurs irritaient Diane par le flou artistique ou les rodomontades de leurs cours, Madame Aubusson se montrait d'une précision et d'un sérieux qui n'avaient pas d'équivalent à la faculté.

La jeune femme s'aperçut très vite qu'elle assistait aux conférences de Madame Aubusson avec plus que de l'intérêt ; ce qu'elle éprouvait en écoutant ses exposés si brillants était de l'ordre de la passion.

Le maître de conférences, qui pouvait avoir 40 ans, était une petite femme rousse au beau visage imposant. Elle habillait son corps menu de tailleurs-pantalons austères qui rehaussaient l'éclat de ses cheveux. Quand elle parlait, ses yeux s'animaient et elle devenait la personne la plus séduisante qui se pût concevoir.

Diane prit l'habitude de l'attendre à la sortie

du cours pour lui dire son enthousiasme. Flattée des compliments de cette fille d'une beauté
supérieure, l'enseignante lui manifesta de la
sympathie et lui proposa un soir d'aller boire un
verre.

– Appelez-moi Olivia, dit-elle après quelques
minutes de conversation.

– Je ne sais pas si je parviendrai à appeler un
professeur par son prénom.

– Peut-être pas en cours. Mais là, vous le pouvez. Et puis, je n'ai pas le titre de professeur.

– Comment se fait-il que vous ne l'ayez pas ?

– C'est une longue histoire plutôt ennuyeuse.
Au final, c'est mieux. Regardez Michaud,
Salmon, Pouchard : ils ont le titre, eux. Croyez-
vous que j'aie envie de leur ressembler ?

Diane rit.

– Ils sont nuls ! dit-elle.

– Je n'irais pas jusque-là, reprit Olivia. Disons
que le mandarinat leur est monté à la tête et que
cela ne les a pas améliorés.

Elle se livra alors à une imitation du phrasé
solennel et creux d'Yves Pouchard, professeur
en chirurgie vasculaire, qui fit pleurer d'hilarité
la jeune femme.

– Eh oui, voilà ce qui se passe quand on est obsédé par les honneurs, conclut Olivia. Moi, ce qui m'obsède, c'est de former de bons praticiens, de leur enseigner la rigueur. Je suis consternée par les approximations que d'aucuns se permettent dans notre spécialité. Si on formait les ingénieurs nucléaires comme on forme les cardiologues, ce serait tous les jours Tchernobyl. Quand même, il me semble que le cœur mérite autant de sérieux, sinon plus, que la radioactivité, non ?

Diane ne l'écoutait plus. Elle n'avait plus pensé à Tchernobyl depuis le jour où elle avait prononcé ce nom dans le but de conquérir l'amitié d'Élisabeth. N'était-il pas étrange qu'à l'aube d'une nouvelle amitié importante de sa vie resurgisse la mention de cette catastrophe ?

– Cela ne vous intéresse pas beaucoup, ce que je vous raconte, observa Olivia. Et vous, pourquoi avez-vous choisi la cardiologie ?

– Ça s'est fait en deux temps. À 11 ans, j'ai décidé que j'étudierais la médecine, parce que j'avais rencontré un médecin extraordinaire. Quant à la cardiologie, je vous préviens : ma motivation va vous paraître idiote.

– Allez-y.

– C'est une phrase d'Alfred de Musset qui m'a impressionnée : « Frappe-toi le cœur, c'est là qu'est le génie. »

Madame Aubusson demeura figée.

– Je vous avais prévenue, dit Diane, très gênée.

– Mais non. Je trouve ça magnifique. Jamais je n'avais entendu cette phrase ni une motivation aussi étonnante. « Frappe-toi le cœur, c'est là qu'est le génie. » Alfred de Musset, c'est ça ?

– Oui.

– Quel type ! Quelle révélation ! Savez-vous qu'il avait raison ? C'est un organe qui n'a rien à voir avec les autres ! Je comprends que les anciens y aient vu le siège de la pensée, de l'âme et de ces sortes de choses. Ça fait plus de vingt ans que j'observe le cœur et il ne m'en semble que plus mystérieux et génial.

– J'avais peur que vous vous moquiez de moi.

– Vous plaisantez ! Pour une fois que l'un de mes étudiants a de la culture ! J'aimerais bien en avoir, moi.

– Je ne suis pas cultivée, vous savez. Mais j'ai toujours aimé lire.

– Vous m'apprendrez. C'est fabuleux : je vous rencontre à peine et déjà, vous m'enrichissez.

La soirée se poursuivit sur ce ton. Quand Diane rentra chez elle, elle était dans un état second : jamais elle n'avait été à ce point enthousiasmée par quelqu'un. Que cette femme supérieure s'intéressât à elle et allât jusqu'à lui laisser croire qu'elle pouvait l'enrichir la bouleversait. Fallait-il qu'elle fût généreuse pour lui suggérer cela !

Le lendemain, le maître de conférences lui téléphona.

– Vous déjeunez au self de l'internat ?

– Comme vous, je crois.

– Que diriez-vous de déjeuner avec moi à la brasserie du coin ?

Diane accepta avec joie. À la brasserie, Olivia commanda une salade qu'elle mangea du bout des lèvres. La jeune femme n'osa commander davantage et ne le regretta pas : elle était si émue qu'elle avait du mal à avaler.

Madame Aubusson se confia beaucoup. Elle

dit combien il était difficile d'être une femme dans ce milieu :

— Je ne sais pas qui est le plus macho, d'un carabin ou d'un professeur.

— Cela a-t-il joué un rôle dans le fait que vous ne soyez pas titularisée ?

— Sûrement. D'autant que j'ai eu un enfant, il y a dix ans. On ne me l'a jamais pardonné. Mais si je n'avais pas eu d'enfant, on m'aurait jugée encore plus sévèrement. Même quand on enseigne à l'université, on n'échappe pas aux mentalités provinciales.

— Vous avez toujours vécu ici ?

— Oui. J'avoue que je suis très attachée à notre ville. Yves Pouchard, lui, n'a qu'un rêve, c'est de monter à Paris. Vous l'imaginez à Descartes, lisant ses notes qu'il a toujours l'air de découvrir pour la première fois, au point qu'il accumule les bévues ? Un jour, lors d'une conférence, il a parlé d'analyses sanguinaires !

— Pour de vrai ?

Olivia avait mille anecdotes de ce genre à raconter. Ces déjeuners devinrent une habitude. Quand les deux femmes arrivaient à la brasserie,

elles n'avaient plus besoin de passer commande ;
on leur servait sans tarder les deux salades et la
bouteille d'eau minérale. Diane trouvait cela un
peu léger à son goût mais elle n'eût échangé sa
place pour rien au monde.

Son lien avec le maître de conférences donnait un sens à sa vie. Elle voulait à la fois lui ressembler et faire équipe avec elle. Ce qu'on lui reprochait depuis son enfance, son sérieux, sa rigueur, ce que sa mère avait appelé sa froideur, était enfin valorisé. Diane jubilait chaque fois qu'Olivia faisait preuve de ces vertus.

Parfois dans l'amphi, elle entendait des étudiants murmurer : « Aubusson, elle a pas l'air sympa », ou : « On ne doit pas beaucoup rigoler avec elle. » Elle se contraignait au silence. Si elle ne s'était pas retenue, elle aurait dit : « Olivia Aubusson est une immense spécialiste du cœur. Elle n'est pas là pour être sympa. Quand on est à un tel niveau, on n'a pas besoin d'être sympa. Par ailleurs, vous seriez étonnés de découvrir combien elle est drôle. »

Leur connivence n'était cependant pas passée inaperçue et suscitait quelques sarcasmes prévisibles, tant du côté académique que du côté des internes.

– C'est parce que vous êtes très belle, dit Olivia en riant.

– Vous n'êtes pas mal non plus.

– Enfin quelqu'un qui me le dit !

– Je ne dois pas être la seule.

– Qui d'autre ?

– Je ne sais pas. Votre mari ?

– Stanislas est chercheur en mathématiques. Il ne dit pas de telles choses.

Diane brûlait de la questionner sur sa vie. Le sentiment de son indiscrétion l'en empêchait. Tout ce qui concernait Olivia lui paraissait prodigieux.

Un jour, à la sortie de l'université, elle vit une femme qui l'attendait. Elle ne la reconnut pas d'emblée.

– Diane, c'est toi ? Mais tu es une vraie beauté maintenant ! dit la femme.

– Maman, fit la jeune femme, pétrifiée.

Elle n'avait plus vu sa mère depuis dix ans. Elle n'en avait eu ni le désir ni le temps. Parfois elle rencontrait son père, toujours à sa demande à lui, et il ne faisait que s'attrister de son éloignement, sans jamais remettre en cause l'attitude de sa femme. Que lui était-il arrivé ? Elle était éteinte, sans âge, le visage ravagé.

– Je peux te parler ? demanda sa mère.

Elles allèrent dans un café.

– Qu'est-ce qui se passe ?

– Célia est partie.

– Comment ça ?

Marie éclata en sanglots et sortit de son sac une lettre.

– Ta sœur a eu un enfant. Le savais-tu ?

– Il me semble l'avoir entendu dire, répondit Diane en haussant les épaules.

– C'était l'année dernière. Elle n'a jamais voulu me dire qui était le père. Je ne serais pas étonnée qu'elle l'ignore. Célia, depuis ses 18 ans, s'est mise à sortir sans cesse, à beaucoup boire. D'après la rumeur, elle a multiplié les liaisons, avec des hommes plus âgés.

– Épargne-moi les cancans, d'accord ?

– Bref, elle a eu une fille, Suzanne. Elle est

partie il y a une semaine sans dire où elle allait, en me laissant la petite.

Sans cesser de pleurer, Marie tendit à Diane la lettre qu'elle tenait entre les mains en tremblant.

Maman,

Je sens que je suis en train de commettre avec Suzanne les erreurs que tu as commises avec moi. Je l'aime trop, je ne peux pas m'empêcher de la garder tout le temps dans mes bras, de la couvrir de baisers. Je n'ai pas envie que ma fille devienne, comme moi, une épave sans volonté, juste bonne à coucher avec n'importe qui. Et puis, j'ai 20 ans et je veux que ma vie commence.

Alors je pars, loin, sans te dire où je vais. Je te laisse Suzanne. J'ai observé que tu l'aimais, sans délirer à son sujet comme tu l'as toujours fait à mon égard. Peut-être seras-tu enfin pour ma fille ce que tu n'as jamais été pour les tiennes : une bonne mère.

Célia

Diane resta abasourdie un long moment, la
tête penchée sur la missive sans savoir quoi dire.

– C'est formidable ce qu'elle fait, réussit-elle
à murmurer.

– Tu trouves ? dit Marie à travers ses larmes.
Et moi qui venais te demander de partir à sa
recherche !

– Tu es folle ? Jamais je ne ferais une chose
pareille. D'abord, parce que je l'approuve.
Ensuite, parce que même si je ne l'approuvais
pas, elle est adulte.

– Comment peux-tu l'approuver ?

– Elle ne veut pas reproduire tes erreurs.
C'est une sacrément bonne raison. Elle ne veut
pas étouffer Suzanne sous les tonnes de bisous et
de cajoleries que tu lui as infligés pendant son
enfance et son adolescence.

– C'était parce que je l'aimais, en quoi est-ce
mal ?

– Il faut croire que ça l'est, puisqu'elle s'en
plaint. Elle s'en était plainte à moi quand elle
était petite. Je lui avais dit de t'en parler. Elle a
essayé, mais tu l'as manipulée pour la persuader
que cela venait de moi.

– Ce n'est pas vrai.

– Maman, j'étais derrière la porte de la salle de bains, j'ai tout entendu.

Diane regarda sa mère ébahie et vit qu'elle ne mentait pas : elle avait oublié.

– J'ai été une mauvaise mère, alors ?

– Pas avec Nicolas. Lui, il va très bien. Je le croise souvent à l'université.

– Toi aussi, tu sembles aller très bien.

– Non, je ne vais pas bien. Je suis froide, tu te rappelles ?

– Oui. Tu l'as toujours été.

– Non. Je ne l'étais pas quand j'étais petite. Je me suis forcée à le devenir pour te supporter.

– Je ne t'ai jamais maltraitée.

– Maman, j'ai quitté la maison quand j'avais 15 ans.

– Oui. Je n'ai pas compris pourquoi.

– Pourtant, tu as dit à la ville entière que je ne me remettais pas de la mort de mes grands-parents. À aucun moment tu n'as soupçonné que je suis partie à cause de toi ?

– Non. C'était à cause de moi ?

Diane vit à nouveau que sa mère ne mentait pas. À l'université et à l'hôpital, elle avait déjà pu observer l'effarante capacité d'oubli des gens : ils oubliaient ce qui ne les arrangeait pas, ou plutôt, ils oubliaient quand cela les arrangeait, c'est-à-dire très souvent. Là, elle sentait l'intensité de la souffrance de sa mère et la sincérité de son oubli.

– Sais-tu que l'amnésie n'est pas une excuse, maman ?

– Une excuse pour quoi ? dit Marie, qui ignorait jusqu'à son oubli.

La jeune femme fut tentée de tout lui raconter. Ce qui l'arrêta fut la peur d'aller trop loin. Elle ne savait pas si ce trop loin comportait le risque de tuer sa mère, mais elle savait qu'aucun acte et qu'aucune parole ne la soulageraient. Au contraire, au lieu de la délivrer, son aveu l'enfoncerait, peut-être pour toujours, dans l'enfer de son enfance qu'elle avait eu tant de difficulté à quitter.

Marie eût-elle pu se conduire autrement ? Diane pensait que non. Sa mère n'avait pas assez d'intelligence, il lui était impossible de prendre du recul. À quoi cela rimerait-il d'adresser des reproches à une personne incapable de s'analyser, à plus forte raison avec tant d'années de retard ?

La femme qui la regardait avec une curiosité douloureuse lui parut innocente. Ce qui l'absolvait n'était ni la prescription, ni l'oubli, c'était son démon. Diane se rappela le gouffre dans lequel elle avait failli tomber, quand elle avait vu sa mère abreuver Célia d'un amour si exubérant alors qu'elle l'en avait délibérément privée. Marie, elle, vivait dans ce gouffre. Qu'elle y ait chuté par sottise absurde n'enlevait rien au tragique de son sort. Ce qu'elle avait infligé à son aînée n'était que l'expression d'un narcissisme dévoyé dont elle ne semblait pas être consciente.

– Es-tu toujours jalouse, maman ?

– Qu'est-ce que tu racontes ?

L'inconscience de sa mère allait donc jusque-là. Cela dit, si elle ignorait l'avoir été, peut-être ignorait-elle aussi sa guérison. Comment le savoir ?

– Est-ce que Célia est aussi belle que tu l'étais ? Je ne l'ai plus vue depuis dix ans.

– Oh oui, dit Marie. Elle est devenue une si belle jeune femme ! Ma fierté ! Et pourtant, je dois dire que tu es encore plus belle qu'elle, ajouta-t-elle sans que Diane vît aucun pli amer au coin de sa bouche. Et si tu revenais à la maison ? Tu n'as que 25 ans, on pourrait essayer de rattraper tout ce temps perdu.

« Elle est toujours aussi bête, soupira Diane intérieurement. Évidemment, ça lui plairait que je vienne jouer les bouche-trous maintenant que Célia s'est défilée. »

– Il est trop tard, maman, dit-elle simplement.

– Trop tard pour quoi ?

– Tu sais que je suis interne. Ma vie se passe en grande partie à l'hôpital.

– Il paraît qu'on te voit beaucoup avec une femme de mon âge. Un professeur.

– Tu recommences avec les cancans ?

– Qui est-ce ?

– Elle est maître de conférences en cardiologie. Elle s'appelle Olivia Aubusson.

– Olivia ? C'est drôle. C'est le prénom que j'avais choisi pour toi.

– Vraiment ?

– Oui. Ton père s'est interposé.

– Il faut que j'y aille, dit Diane qui en avait assez entendu. Sois une bonne mère pour Suzanne, maman.

– Bien sûr, répondit Marie comme si cela allait de soi. Au revoir, ma fille.

Combien Diane regretta d'être de garde, cette nuit-là ! Elle avait besoin de se confier. Si seulement elle avait pu voir Élisabeth ! « Le bon côté de l'affaire, c'est que je n'aurais jamais pu dormir. Alors, autant travailler. »

Elle resta pendant des heures au chevet d'une vieille dame allergique à la solitude.

Tempête sous un crâne : ce que sa mère lui avait dit se mélangeait au point que d'insignifiants propos lui paraissaient détenir un dangereux sens caché. Elle eût été incapable de déterminer ce qui la blessait le plus : la souffrance présente de celle qui avait été sa déesse ou la négation de son enfer d'enfance. Diane n'appartenait pas à la catégorie de ceux qui voient une forme d'expiation dans le supplice de leurs bourreaux. Même si elle approuvait Célia, elle trouvait terrible qu'il fallût fuguer et abandonner son enfant pour ne pas devenir nuisible. Quant à l'offre de retour au bercail de Marie, elle l'offensait comme une affreuse ironie du destin.

Était-elle folle d'entendre du sarcasme dans l'allusion de sa mère à l'âge identique au sien

d'Olivia ? Comment les comparer d'ailleurs ?
Marie avait l'âge des vaincues, Olivia celui des
conquérantes. Enfin, la révélation concernant le
prénom qu'elle avait failli avoir la rendait nau-
séeuse.

Au milieu de la nuit, elle souhaita parler de
tout cela à Olivia. Une heure plus tard, elle se
jura de n'en rien faire : ce qu'elle vivait avec
cette femme supérieure n'avait rien à voir avec
une amitié à confidences, non qu'elle n'ait pas
confiance en elle, mais parce qu'elle aurait rougi
de cet aveu de faiblesse. Quel était cet écrivain
qui disait que chaque existence se réduisait à un
misérable petit tas de secrets ? Il était hors de
question qu'elle partage son petit tas de secrets
avec Olivia. Elle voulait se hisser jusqu'à son
niveau, et non inviter son amie à patauger dans
le bourbier de son passé.

En définitive, elle eût préféré que cette
conversation avec sa mère n'ait pas eu lieu.
Home is where it hurts : à la douleur qu'elle
éprouvait, elle se rendait compte qu'elle avait
renoué avec la maison de son enfance.

À 6 heures du matin, sa garde se termina. Les
cours commençaient à 8 heures, elle n'aurait

pas le temps de se coucher. Elle suivit les cours comme une zombie puis rejoignit Olivia pour déjeuner.

– Quelle mine de déterrée ! dit cette dernière.

– J'étais de garde cette nuit.

– D'habitude, vous n'avez pas cette tête-là, le lendemain.

Diane sentit qu'elle allait craquer. Afin de ne pas en arriver là, elle se lança dans un sujet radicalement autre :

– Olivia, j'ai réfléchi : il faut que vous passiez l'habilitation.

– Quelle mouche vous pique ?

– Cela fait longtemps que j'y pense.

– Et c'est pour ça, cet air de cadavre ?

– Vous ne cessez de plaisanter à ce sujet. En vérité, vous riez pour ne pas en pleurer. C'est tellement injuste que vous n'ayez pas le titre de professeur !

– Je m'en fiche.

– Si cela vous était réellement égal, vous n'en parleriez pas tant.

– Je n'en parle que pour dénigrer ceux qui ont le titre.

– Justement. Vous, vous mériteriez d'être professeur.

– Arrêtez, vous ne savez pas dans quoi vous vous embarquez. Pour se présenter à l'habilitation, il faut avoir publié une douzaine d'articles. Je serais incapable d'en publier un seul.

– Ce ne sont pourtant pas les sujets qui vous manquent, ni le talent pour les rédiger.

– Les revues qui comptent pour l'habilitation sont américaines. Il faut envoyer un article en anglais, sur un support informatique. Deux obstacles infranchissables pour moi.

– J'ai toujours été très bonne en informatique et en anglais. Ces articles, nous les écrirons ensemble.

Olivia s'arrêta de manger, la fourchette levée, estomaquée.

– Vous ne vous rendez pas compte. Même si vous n'étiez pas interne en cardiologie, ce serait un travail de fou. Vous ne pourrez pas cumuler.

– Chiche.

– Pourquoi feriez-vous ça ?

– Parce que ça me rend malade que vous n'ayez pas le titre. Aucun de nos professeurs ne le mérite à part vous. C'est une imposture.

– Si je présente l'habilitation, ce sont ces imposteurs qui me jugeront.

– Est-ce jouable ?

– Je ne me suis pas moquée d'eux en public. J'ai ménagé leur susceptibilité.

– Eh bien alors, c'est décidé.

– Diane, cela prendra au minimum deux ans de travail acharné.

– Raison de plus. Ne perdons pas de temps, il faut s'y mettre tout de suite.

– Cela signifie que pendant deux ans, vous n'aurez pas d'autre fréquentation que moi.

– Nous nous entendons bien. Finissez cette salade, Olivia, nous avons du pain sur la planche.

Diane se sentit sauvée. Elle allait pouvoir penser à autre chose qu'à sa mère. Quant à la perspective d'une collaboration intensive avec cette femme formidable, elle la trouvait enthousiasmante.

En 1997, presque personne ne possédait d'ordinateur portable. Dans le bureau du maître de conférences, à l'université, il y avait un gros ordinateur.

– Je suis incapable de m'en servir, avoua Olivia.

Diane installa des chaises devant l'IBM. Pendant les deux années qui suivirent, les deux amies passèrent tout leur temps libre sur ces sièges. Elles y restaient souvent jusqu'à 3 ou 4 heures du matin. Les dimanches, elles y apportaient des provisions.

– Qui est-ce qui s'occupe de votre fille ? demanda Diane.

– Stanislas est un excellent père. Il conduit la petite à l'école, revient travailler à la maison et ne rate jamais la sortie des classes. Et vous, manquez-vous à quelqu'un ?

– Non, dit la jeune femme, qui trouva la question habilement posée.

Elle mentait. Quelques jours plus tôt, elle avait eu droit à un interrogatoire d'Élisabeth :

– Éprouves-tu une attirance sexuelle pour Aubusson ?

Diane eut pour sa meilleure amie le regard que César eut pour Brutus avant de prononcer son ultime parole historique.

– Ça ne me choquerait pas, tu sais, poursuivit Élisabeth.

– Moi non plus, ça ne me choquerait pas. Mais c'est inexact.

– Dommage. Je préférerais.

– Voilà autre chose !

– Si tu désirais cette femme, je comprendrais mieux ton attitude. Là, ça m'échappe complètement.

– Écrire ces articles avec elle me passionne réellement.

– Au point de ne faire strictement rien d'autre ? Au point de ne plus dormir ?

– Eh oui.

– Tu pèses combien ? 45 kilos ?

– Fiche-moi la paix.

– C'est une obligation, pour les cardiologues, d'être aussi maigres ?

– La majorité des problèmes cardiaques ont pour origine la suralimentation et/ou le surpoids. Il vaut mieux donner l'exemple.

– De là à être squelettique !

Pour le coup, Diane pensait comme elle. Mais quand Olivia voyait du beurre, du fromage ou de la viande, elle avait l'air d'une dévote en présence du diable. Elle ne se nourrissait que de crudités avec un peu de pain sec.

La première fois qu'un de ses articles fut publié, Diane ouvrit une bouteille de vin. L'aînée eut un regard méfiant.

– C'est excellent pour les artères ! protesta Diane.

– Vous m'en servirez très peu.

En dépit de cette austérité, elle adorait leur collaboration. À l'aide de l'ordinateur, elle dessinait des diagrammes dont la précision enchantait Olivia. Quand elle les voyait reproduits dans les revues, elle exultait :

– Notre rigueur a convaincu les Américains !

Diane s'enorgueillissait de ce « notre ». Quelle fierté de seconder une femme aussi brillante ! Que lui importait de dormir trois heures par nuit et de n'avoir jamais de vacances ? Quant à ses résultats universitaires, ils n'en furent que meilleurs.

Six mois avant la date prévue pour l'habilitation, Olivia lui proposa d'être chargée des cours.

– Je n'en serais pas capable.

– Bien sûr que si. Vous serez excellente.

Trois mois plus tard, Diane donna son premier cours. Ce fut un succès. « Je n'ai pas 27 ans et j'enseigne à l'université. Merci, Olivia ! » pensa-t-elle, impressionnée.

Nicolas l'invita à son mariage. Elle lui écrivit une lettre très gentille dans laquelle elle s'excusa de ne pouvoir venir. « C'est un concours de circonstances, expliqua-t-elle. Je me rattraperai plus tard, dès que j'en aurai le temps. » Offensé, Nicolas ne répondit pas. Diane en souffrit, mais comment eût-elle pu agir autrement ? Elle avait ses cours à préparer, sa thèse à rédiger, ses gardes à assurer et surtout, elle avait Olivia à coacher pour l'habilitation toute proche.

Son père lui téléphona pour lui signifier son indignation :

– Le mariage de ton frère, tu pourrais quand même te libérer pour y assister !

Diane eut du mal à garder son calme. Cet homme, qui n'avait pas cherché à savoir pourquoi sa fille était partie à 15 ans, s'offusquait, au nom de la famille, de sa défection à une cérémonie mondaine.

– Papa, lui répondit-elle, essaie de me comprendre : je viens de commencer à enseigner à l'université, je prépare ma thèse…

Son père l'interrompit, tout guilleret : sa fille enseignait à l'université ! Un tel prodige avait tous les droits. Il balbutia un « Félicitations, ma chérie » et raccrocha. Diane saisit que dans la demi-heure, il aurait pompeusement annoncé cette nouvelle à la ville entière. Loin d'en éprouver de la fierté, elle ressentit de la colère.

Encore heureux que l'habilitation approchât ! Cela lui permit de penser à autre chose. L'événement fut une sacrée diversion. Le maître de conférences présenta la jeune femme comme son auxiliaire de recherche, ce qui l'autorisait à assister à la séance. Ce n'était pas gagné d'avance : Olivia devait convaincre un jury composé de professeurs infiniment moins bons qu'elle sans pour autant se les aliéner. Elle n'hésita pas à recourir aux formules d'usage et d'adoubement : «Grâce aux compétences dont le professeur Pouchard a bien voulu me faire bénéficier», «Comme le professeur Salmon l'a souligné dans son brillant article»… Il s'agissait de démontrer la cohérence de ses douze publications américaines récentes. Olivia y excella.

Pour Diane, ce fut un aboutissement. Elle

trouva son amie grandiose d'éloquence, d'intelligence et d'habileté. Elle repensa aux deux années de travail assidu, à la complicité, aux moments de désespoir, aux difficultés vaincues ensemble. Avoir joué un rôle prépondérant dans un avènement aussi indispensable lui parut l'essentiel de sa vie.

Au terme de l'exposé, Olivia rejoignit Diane et le jury se retira pour délibérer.

– Vous avez été formidable, dit la jeune femme. Bravo !

– Vraiment ? murmura Olivia, dans un état second.

Après une attente angoissante, le jury revint. Yves Pouchard proclama que Madame Aubusson accédait au titre de professeur avec les félicitations du jury. Olivia broya la main de Diane avant d'aller serrer celle de chaque juré.

Au sortir de l'amphithéâtre, Olivia dit à Diane qu'elle n'oublierait jamais à qui elle devait son titre.

– L'usage veut que le nouveau titulaire offre une petite fête. Elle aura lieu après-demain soir, dans la salle des délibérations. Vous allez enfin rencontrer mon mari – et moi, je vais enfin le revoir !

– Puis-je vous aider pour l'organisation ?

– Il me semble que vous m'avez assez aidée comme cela, Diane. Vous avez une thèse à rédiger.

Quarante-huit heures sans Olivia lui parurent très étranges, elle qui depuis plus de deux ans avait passé avec elle le plus clair de son temps. Le soir venu, elle fut heureuse de rejoindre son amie.

– Diane, permettez-moi de vous présenter Stanislas, mon mari.

C'était un homme d'une cinquantaine d'années, élégant et élancé, de belle allure.

– Je vous laisse faire connaissance, dit Olivia, qui alla recevoir ses autres invités.

L'exercice s'avéra ardu. Stanislas écoutait à peine et quand il écoutait, c'était pire. Il demandait d'un air agité : « Pourquoi me posez-vous cette question ? », alors qu'il n'avait pas été interrogé. Et si Diane l'interrogeait, il ne répondait pas. Finalement, elle s'aperçut qu'il valait mieux se taire. Le mutisme le calma aussitôt et il reprit une expression agréable. Elle s'excusa de lui fausser compagnie pour s'approcher d'autres personnes. Ce ne fut pas très facile, sans doute parce qu'elle avait vingt ans de moins que la moyenne des gens qui avaient tous l'air de se demander pourquoi elle avait été conviée à cette fête.

Le moment fort de la soirée fut le discours d'Olivia. Très émue, elle monta sur l'estrade et prit la parole :

– C'est à l'âge de 15 ans, en lisant Alfred de Musset, que j'ai découvert la phrase célèbre : « Frappe-toi le cœur, c'est là qu'est le génie. » L'adolescence connaît de ces fulgurances : j'ai su aussitôt que je vouerais mon avenir à l'étude de cet organe…

Diane, interdite, n'écoutait plus.

La péroraison s'acheva sur un tonnerre d'applaudissements. Yves Pouchard porta un toast. Personne ne remarqua que la jeune femme était partie.

Le lendemain, Diane se demanda pourquoi cette histoire l'avait tant perturbée. Alfred de Musset appartenait à tout le monde. Après deux années de collaboration ininterrompue, il était normal qu'Olivia en soit arrivée à confondre leurs souvenirs. Elle se promit de ne plus y repenser.

Comme d'habitude, elle retrouva son amie pour déjeuner.

– C'était très bien, hier, dit-elle poliment.

– N'est-ce pas ?

Olivia lui raconta mille détails avec enjouement. Diane était plutôt rassurée qu'elle n'ait pas remarqué sa défection.

– Qu'avez-vous pensé de Stanislas ?

– Ah. Comment dire ?

La plus âgée éclata de rire.

– Pardon, j'aurais dû vous prévenir. En mathématiques, sa spécialité est la topologie.

– De quoi s'agit-il ?

– Honnêtement, je n'y ai jamais rien compris. Mais il est notoire que cela rend les gens bizarres. Il suffit de ne pas lui parler ; alors, tout va bien.

– Vous ne vous parlez pas ?

– Mes parents ne se parlaient pas non plus. Comme je le faisais remarquer à ma mère, elle me dit : « Ma chérie, nous sommes mariés depuis trente ans. Que veux-tu que nous nous disions ? » J'ai seulement mis cet usage en pratique un peu plus tôt.

Diane eut envie de poser encore beaucoup de questions. Elle s'abstint, par peur d'être indiscrète.

Quelques jours plus tard, Olivia lui annonça que le lendemain, elle déjeunerait au mess, avec les professeurs. Le mess était le nom qu'elles donnaient à la zone réservée aux sommités du restaurant universitaire.

– Vous allez enfin savoir si l'on y mange des plats spéciaux, plaisanta Diane.

Le surlendemain, elle se rendit à la brasserie. Olivia ne la rejoignit pas. Le jour d'après non plus. Diane comprit alors que son amie avait choisi une formulation floue pour lui dire qu'elles ne déjeuneraient plus ensemble. « Le titre de professeur lui est vite monté à la tête », ne put-elle s'empêcher de penser.

Elle croisa Olivia dans un couloir et la salua avec froideur.

– Eh bien, Diane, qu'est-ce qui se passe ?

– C'est vous qui me posez cette question ?

– Oh pardon, j'aurais dû me rendre compte. Venez déjeuner au mess avec nous !

– Quand vous étiez maître de conférences, vous disiez que vous n'étiez pas admise au mess. Pour ma part, je ne suis même pas maître de conférences.

– Je suis sûre qu'Yves et Roger ne s'en formaliseront pas.

– Je viendrai d'autant moins que pendant des années vous m'avez répété combien vous les méprisiez.

– Taisez-vous, on pourrait vous entendre.

Cette dernière réplique acheva Diane, qui s'en alla.

Quelques jours plus tard, elle trouva un mot dans son casier : «Désolée de ce malentendu. Venez dîner ce soir chez moi, à 20 heures, en toute simplicité.»

La jeune femme en eut les larmes aux yeux. Olivia l'invitait chez elle, depuis le temps qu'elle en rêvait ! Comment avait-elle pu douter de son amitié ?

Ce fut Stanislas qui lui ouvrit la porte. Elle se rappela son fonctionnement et se contenta de dire bonsoir. Sans prononcer une parole, il la conduisit jusqu'à un salon meublé avec goût, puis la laissa seule et se retira. Elle resta un long moment à contempler ces lieux qu'elle avait tant imaginés et qui s'avéraient très ordinaires.

– Comment, Diane, vous étiez là ? Il fallait m'appeler, dit Olivia en entrant dans la pièce.

– Je ne voulais pas vous déranger.

Elles parlèrent de choses et d'autres. Diane se réjouit de constater qu'elles n'avaient rien perdu de leur complicité. Elle était sous le charme de son amie, qu'elle trouvait pleine de prestance naturelle.

– Je vais préparer le dîner, dit-elle en se levant. Surtout, ne vous attendez pas à des merveilles : ce n'est pas mon domaine.

La jeune femme l'accompagna à la cuisine et sourit en voyant qu'elle avait prévu de la salade et des crudités.

– J'aurais dû le parier ! dit-elle.

– Vilaine fille, puisque vous vous moquez de moi, vous irez mettre le couvert pour votre peine.

Comme Diane disposait les assiettes, elle distingua deux yeux furtifs qui l'épiaient. Ce devait être la fille d'Olivia. Elle se rendit compte qu'elle ne connaissait pas son prénom.

– Y a-t-il quelqu'un ? murmura-t-elle d'une voix très douce.

Elle vit apparaître timidement une fillette si petite et si chétive qu'elle lui aurait donné 8 ou 9 ans. Elle calcula qu'elle devait en avoir 12. L'enfant osait à peine la regarder.

– Bonsoir. Comment t'appelles-tu ?

Pas de réponse. Olivia arriva et dit avec un peu d'humeur :

– Eh bien, Mariel, tu as perdu ta langue ?

La petite s'enfuit aussitôt.

– Comme elle est mignonne ! s'exclama
Diane.

– Et très sociable, comme vous le remarquez,
poursuivit Olivia.

– C'est de son âge.

– Ah oui ? Vous étiez comme ça, à 12 ans,
vous ?

– Chacun grandit à son rythme.

– Grandir ? Ce ne doit pas être le bon verbe.

Mal à l'aise, Diane changea de sujet et alla à
la cuisine couper des radis en rondelles. Cinq
minutes plus tard, elle entendit une voix anor-
malement aiguë dire :

– Maman, il faut que tu signes mon carnet de
notes.

Olivia saisit le livret, regarda rapidement
les résultats, soupira et signa sans émettre de
commentaire. Mariel s'enfuit à nouveau.

– Ça ne va pas ? demanda Diane.

– C'est comme d'habitude, dit Olivia avec
indifférence.

– Je peux aller la voir ?

– Si vous voulez.

Diane s'aventura dans le couloir, frappa à une
porte, n'obtint pas de réponse, ouvrit et tomba

sur Stanislas, couché sur son lit, les yeux ouverts, regardant le plafond. Elle referma vite et ouvrit une autre porte. Mariel était assise par terre, recroquevillée sur elle-même.

– Je peux voir ton carnet de notes ?

Terrifiée, l'enfant ne dit rien. Diane lui prit gentiment le carnet et le feuilleta. « Mariel Aubusson, classe de 6ᵉ ». La petite avait déjà un an de retard. Quant aux résultats, ils étaient consternants. Le ou les enseignants n'osaient pas écrire de commentaires, tant le niveau était faible.

« Le père fait de la recherche en mathématiques, la mère est professeur de cardiologie à l'université », songeait Diane en cherchant désespérément quelque chose de positif à dire. Elle finit par voir qu'en gymnastique, l'enfant était passée de -3 à -1.

– Bravo ! Tu as progressé en gymnastique, s'écria-t-elle avec un enthousiasme contraint.

Mariel leva le nez, stupéfaite. Elle eut un sourire si désarmant que Diane la prit par les épaules et l'embrassa.

En revenant vers le salon, elle vit dans la

bibliothèque une médaille qui l'intrigua. Son amie perçut son regard et dit fièrement :

– C'est la médaille Fields. Stanislas l'a remportée à l'âge de 39 ans.

À l'appel de sa femme, le lauréat de la plus haute distinction mondiale en mathématiques s'assit à sa place, choisit une à une des feuilles de salade puis les contempla dans son assiette avec circonspection. Il finit par les manger en silence. Mariel ne parla pas davantage en grignotant d'un air timoré. Pendant ce temps, la maîtresse de maison, charmante, conversait sans prendre ombrage de leur silence. Diane aurait eu plaisir à l'écouter s'il n'y avait eu l'évidente souffrance de la fillette.

Après le dîner, comme Stanislas se retirait, son épouse lui dit :

– Ne travaille pas trop tard, chéri.

S'avisant que Diane la regardait avec perplexité, Olivia ajouta :

– Vous l'avez vu couché sur son lit, les yeux grands ouverts sur le plafond ? C'est ainsi qu'il pratique la recherche en topologie. Quatre minutes par jour, il se lève pour noter ses réflexions sur un bout de papier. Impressionnant, n'est-ce pas ?

Elle rutilait d'orgueil quand elle parlait de son mari.

Diane avait apporté une boîte de chocolats. Olivia l'ouvrit pour accompagner le café. Mariel demanda du regard l'autorisation d'en prendre un.

– Sers-toi, ma chérie, dit sa mère.

Fut-ce le «ma chérie» ou le chocolat? Le visage de la petite rayonna de plaisir. Elle soupira de volupté. Diane sourit et lui suggéra d'en prendre un autre.

– Il n'en est pas question, s'interposa Olivia. Cela fait grossir.

– Mariel est maigre comme un clou! protesta Diane.

– Encore faut-il qu'elle le reste.

Ce fut dit sur un ton si sec que la fillette s'enfuit.

L'invitée demeura interdite. L'hôtesse s'y trompa et proféra divers lieux communs, «Il n'est jamais trop tôt pour avoir une bonne hygiène de vie», «L'abus de chocolat au lait joue un rôle non négligeable dans l'essor des maladies cardiovasculaires», sans prendre conscience de son malaise.

Diane inventa un prétexte pour partir sans tarder. Olivia dut se sentir en situation d'échec social car elle multiplia les sollicitations (« Vous ne pouvez pas vous en aller si vite ! J'attendais ce moment depuis si longtemps... »). La jeune femme y coupa court, ajoutant qu'elle devait se sauver mais pouvait revenir le lendemain soir.

– Excellente idée, s'exclama l'hôtesse d'une voix mi-figue, mi-raisin.

– J'arriverai vers 18 heures si vous n'y voyez pas d'inconvénient.

Au volant de sa voiture, Diane estima qu'il ne pouvait s'agir que d'une coïncidence. Comment eût-il pu y avoir la moindre commune mesure entre cette pauvre gosse traumatisée et sa propre enfance ? Surtout, quel rapport y aurait-il entre la si brillante Olivia Aubusson et sa mère ? Elle se défendit d'approfondir le sujet.

Ce devint un rituel : un jour sur deux, Diane rejoignait Mariel à 18 heures et l'aidait à faire ses devoirs. Les débuts furent affolants : il s'avéra qu'elle maîtrisait la lecture et l'écriture, point final. La jeune femme évitait soigneusement les questions qui fâchent, « Ton père ou ta mère ne t'ont-ils jamais expliqué que... », afin que la petite ne se rendît pas compte de la grave déficience parentale dont elle souffrait.

Olivia, elle, ne perdait pas une occasion de battre le chien devant le loup :

– Diane, ne trouvez-vous pas odieuse cette culpabilisation des mères à l'heure actuelle ? Avez-vous remarqué que tous les prétextes sont bons pour leur faire honte de ne pas s'occuper assez de leurs enfants ? Sur les pères, pas un mot.

– Vous avez raison, il est intolérable qu'on

n'inclue pas les pères dans cette culpabilité. Sauf, bien sûr, quand les pères sont à la limite de l'autisme.

– Savez-vous que Stanislas est étonnant ? Toujours à l'heure pour conduire la petite à l'école et pour aller la rechercher. Moi, cela me fend le cœur quand je vois des enfants traîner devant le collège en attendant leurs parents.

– Stanislas est en effet d'une exactitude impressionnante pour les tâches qui lui sont imparties.

– Votre dévouement me touche, Diane, mais ne perdez pas votre temps précieux. Mariel ne sera jamais un génie, vous savez.

– Je me contente de l'aider à réussir sa sixième. Elle progresse beaucoup.

– Et votre thèse ? Et vos études ?

– Je consacre à votre fille moins d'heures que je ne vous consacrais à vous, quand vous prépariez l'habilitation.

– Ce devait être un peu plus enrichissant pour vous, je pense.

– Ce n'est pas comparable. Mais je m'entends très bien avec Mariel.

– Ce genre d'enfant est très attachant, c'est connu.

« Comment est-ce possible ? » pensait Diane en entendant des horreurs pareilles. Le moins qu'on pût dire était qu'elle posait désormais sur Olivia un regard différent. L'unique chose qui lui importait, c'était sa réputation. Son curriculum vitae séduisait : brillante carrière, mari remarquable. Tant qu'on ne lui adressait pas la parole, Stanislas était l'époux idéal, et elle avait même un enfant, de sorte que personne ne pouvait lui reprocher d'avoir « sacrifié sa vie de femme ». Cette expression hérissait Diane. Comment une personne aussi intelligente qu'Olivia avait-elle pu mettre au monde un enfant pour cette seule raison ? Diane savait que Mariel n'était pas un accident : Olivia lui avait dit qu'elle avait eu du mal à tomber enceinte.

« C'est ton amie. Ne la juge pas », se répétait-elle souvent. Une voix intérieure lui disait aussitôt : « Est-elle ton amie ? » Pour se persuader qu'elle l'était, Diane devait se rappeler le temps qui avait précédé l'habilitation. Hélas, que restait-il de leur fabuleuse connivence d'alors ?

Olivia, qui l'avait tellement fait rire en se moquant des manières du mandarinat, les avait à présent toutes adoptées. Elle était à tu et à toi

avec les professeurs, les désignant par leur prénom en s'étonnant qu'on ne comprît pas de qui
elle parlait («Comment ça, quel Gérard? Mais
Michaud, voyons!»), s'était inscrite à leur club
de sport et ne manquait aucune occasion de les
fréquenter. Au fond, même si ça l'irritait, ça
l'arrangeait aussi que Diane joue la «baby-
sitter», comme elle disait : elle pouvait s'acquit-
ter davantage de ses devoirs mondains, laissant
Stanislas et Mariel sous la garde de la jeune
femme.

S'occuper de Stanislas était simple; du
moment que le dîner était servi à 20 heures pré-
cises, il ne manifestait pas de mécontentement,
c'est-à-dire qu'il ne manifestait rien. Diane
s'indignait rétrospectivement à l'idée que pendant plus de deux ans, la petite n'ait pas eu
d'autre compagnie que ce père mutique et
lunaire.

«L'attitude d'Olivia a changé, c'est vrai, mais
moins que la mienne envers elle», se chapitrait-
elle. Comment aurait-elle pu éprouver la même
amitié que jadis envers la mère de Mariel?

«Je ne suis pas objective, je la vois au travers
de mes souvenirs d'enfant», se disait-elle. Il

était certain que la souffrance de la petite réacti-
vait la sienne. « Et encore, moi, j'avais mes
grands-parents, mon père, mon frère. Elle, pendant toutes ces années, elle n'a reçu l'affection ni l'attention de personne. » Il ne fallait pas
être grand clerc pour deviner que la fillette
n'avait pas d'ami de son âge et qu'elle n'en avait
jamais eu.

Mariel et Diane s'attachèrent profondément
l'une à l'autre. Quand la jeune femme arrivait,
l'enfant se jetait dans ses bras. Diane ne se
contentait pas de l'aider à faire ses devoirs.
Constatant que ses cheveux étaient sales, elle lui
conseilla de les laver plus souvent. La petite
répondit qu'elle en était incapable et que c'était
sa mère qui les lui lavait « parfois ».

Diane lui shampooina la chevelure au-dessus
de la baignoire. Elle saisit ensuite le sèche-
cheveux et conseilla à Mariel de pencher la tête
vers l'avant : tandis qu'elle lui séchait les cheveux, elle sentit que la fillette appuyait le front
sur son ventre et elle frémit, car elle se rappela
avoir eu une position identique avec sa mère
quand celle-ci lui séchait les cheveux, enfant. Et
elle se souvint de l'émotion qu'elle éprouvait

alors, d'avoir inventé un contact possible avec sa déesse.

« Mais j'avais 6 ans quand je faisais cela. À 12 ans, c'est un peu tard. » Elle apprit à Mariel à se laver les cheveux.

— Il faut que je vous parle, lui dit un soir Olivia, quand Mariel fut couchée.

— Je vous écoute.

— Je voudrais me consacrer davantage à la recherche. Depuis l'habilitation, j'ai tendance à me reposer sur mes lauriers. C'est inadmissible. Cela tombe bien, j'ai beaucoup d'idées.

— Bravo !

— C'est là que j'ai besoin de vous. Pourriez-vous, une fois sur deux, donner cours à ma place ?

— Je ne suis pas professeur, j'en serais incapable.

— Allons donc. Bien sûr que vous en êtes capable ! Vous êtes une jeune personne d'une intelligence exceptionnelle. Rien ne vous résiste.

Flattée, Diane encaissa les compliments :

– Merci. Mais cela va me prendre beaucoup de temps.

– J'y ai réfléchi. Ce temps ne sera pas perdu. Vous en tirerez le plus grand profit pour votre thèse, vos études et, cela va sans dire, pour l'obtention du titre de maître de conférences.

– Je n'en suis pas là !

– Nous y arriverons.

Le « nous » n'échappa pas à la jeune femme, qui se demanda comment l'interpréter.

– Évidemment, reprit Olivia, cela vous laissera moins le loisir de vous occuper de Mariel.

Elle avait sa réponse. Néanmoins, elle feignit de n'avoir pas compris :

– J'aurai toujours du temps pour Mariel.

– Bien sûr. C'est si aimable à vous, dit Olivia.

Diane reconnut le pli amer au coin de sa bouche. Elle se rappela les paroles de sa grand-mère : pour instaurer son règne, la jalousie n'a aucun besoin d'un motif. C'était déjà vrai pour sa mère. À quel point ce l'était pour Olivia ! Ainsi, on pouvait être professeur à l'université, de surcroît une belle femme accomplie et séduisante, et jalouser, à sa fille malingre et traumatisée, l'attention d'une ancienne admiratrice.

Car il ne s'agissait pas de la nostalgie d'une amitié en perdition. Si cela avait été le cas, Olivia eût recouru au registre sentimental. « Le pire, c'est que cela aurait marché, pensait Diane. Encore heureux qu'elle me prenne pour une simple ambitieuse ! Faisons semblant de lui donner raison. »

Diane entra dans une nouvelle phase de sur-
menage. Entre les cours d'Olivia, les siens et sa
thèse à préparer, les études à poursuivre, les
nuits de garde à assurer et les heures consacrées
à Mariel, il ne lui restait qu'une moyenne de
deux heures de sommeil par jour. «Je ne sais
pas comment je tiens», pensait-elle. Sa fatigue
était si intense que si elle avait le choix entre
manger et dormir, elle n'hésitait jamais : dormir
était devenu le Graal. À ce régime, elle maigrit
davantage.

– Attention, lui dit Olivia, vous n'êtes presque
plus jolie.

Face à cette sollicitude ambiguë, Diane joua le
rôle que son ancienne amie lui attribuait : celle
dont les dents rayent le parquet.

Son moteur carburait à un mélange explosif

de haine et d'amour. Ce dernier s'adressait à la petite fille, dont les progrès l'encourageaient : Mariel obtenait désormais des résultats presque satisfaisants dans toutes les matières. Diane ne manquait jamais de la féliciter en l'embrassant. Le visage rayonnant de la fillette la récompensait de ses efforts.

Olivia avait raison : elle donnait les cours à sa place avec beaucoup de succès. Déconcertés par cette enseignante à peine plus âgée qu'eux, les étudiants furent plutôt emballés par l'assistante du professeur Aubusson. À la fin de ses exposés, Diane se sentait en proie à une fièvre qui la dépassait.

La haine, c'était plus compliqué. « Comment sait-on si on hait quelqu'un ? » se demandait-elle parfois en présence d'Olivia. Il était plus facile de la haïr en son absence : elle repensait à certaines de ses attitudes envers Mariel, et elle avait envie d'enfoncer le visage de cette femme dans une mare de boue. « Cela, ce doit être de la haine », diagnostiquait-elle. En dehors de ces pics, ce qu'elle éprouvait pour Olivia s'apparentait à une déception abyssale. « C'est un sen-

timent généreux : il prouve que j'espérais beaucoup d'elle. »

Alors qu'elle mettait au point un passage déli-
cat de sa thèse, quelqu'un frappa à la porte de
son bureau.

– Entrez, dit Diane.

C'était Élisabeth. Elle l'avait tellement négli-
gée qu'elle était étonnée de la voir là en chair et
en os.

– Tu ne réponds plus au téléphone, alors me
voici.

– Pardonne-moi, je travaille comme une brute.

– Tu as l'air d'un zombie. Raconte-moi ce qui
se passe.

Diane exposa sa situation professionnelle. Élisabeth fronça les sourcils.

– Elle te paie, au moins ?

– Bien sûr. Pour l'argent, elle a toujours été
très claire.

– Il y a donc des domaines où elle l'est moins ?

– Qu'est-ce que tu insinues ?

– Tu n'as pas l'impression qu'elle se sert de
toi ?

– Non. Elle ne voulait pas devenir professeur. C'est moi qui l'ai convaincue de tenter l'habilitation. J'ai dû insister.

– Oui oui. Et maintenant, elle est très malheureuse d'être titularisée…

– Évidemment qu'elle en est contente. C'est naturel. Tu ne peux pas l'attaquer là-dessus.

– Je ne l'attaque pas. Je pense seulement que tu n'as pas dû avoir tellement de mal à la persuader de passer l'habilitation.

Diane se dit qu'elle avait raison.

– Quel était le motif de ta visite, au fait ? Tu ne t'es pas juste déplacée pour savoir si j'étais en vie.

– Je suis venue t'inviter à mon mariage, déclara Élisabeth.

– Quoi ??

– Petit test : qui est-ce que j'épouse ?

– Aucune idée.

– Ta meilleure amie se marie et tu ne sais pas avec qui. Bravo !

– Je sais, j'ai été distante, ces derniers temps, j'en suis désolée.

– Ces dernières années, tu veux dire. Je te

préviens, je ne suis pas comme ton frère : je ne te permets pas de ne pas venir à mon mariage.

– Qui épouses-tu ?

– Je ne te le dirai pas. Cela te forcera à venir. Il y aura du suspense.

– Pas mon frère, quand même ?

– Ça ne va pas, non ? Je te rappelle qu'il est marié.

– Il est peut-être divorcé, depuis le temps.

– Tu as rompu avec le monde entier, à ce que je vois. Est-ce que je t'invite avec Olivia ?

– Non. Pourquoi ?

– La politesse exige qu'on invite les deux membres d'un couple.

– Je ne suis pas en couple avec elle, nous en avons déjà parlé.

– Les choses ont pu évoluer. En tout cas, si tu n'es pas en couple avec elle, tu n'es en couple avec personne.

– Si c'était ce que tu voulais savoir, il suffisait de poser la question.

– Comme tu es devenue irritable ! Écoute, je me marie le 30 mars. Si tu n'es pas là, je viendrai te chercher. Tu ne pourras pas te défiler.

Le 30 mars lui paraissait lointain. La vitesse à laquelle passèrent les mois intermédiaires l'étonna. Elle travaillait tellement que le temps ne contenait plus de pulpe. Chaque jour était le trognon d'un jour et ce n'était pas elle qui en croquait la chair.

Un matin de janvier, elle sut qu'elle avait 28 ans. « Si j'en avais 46, qu'est-ce que cela changerait ? » songea-t-elle avec indifférence.

À ce rythme, le 30 mars ne tarda plus à être tout proche. Le jour J, elle se rendit compte qu'elle n'avait prévu aucune tenue. Dans sa garde-robe, elle dénicha une jupe et un haut assortis. Elle flottait tellement dedans que c'était une pitié, mais ces vêtements pouvaient être qualifiés d'élégants. « Je m'en fiche, pensa-t-elle. Ce qui me contrarie, c'est que je vais perdre plusieurs heures de travail. »

Magnifique dans son tailleur blanc, Élisabeth lui présenta son mari, un certain Philippe, qui lui parut sympathique (« Cela valait bien la peine de parler de suspense », songea-t-elle). Monsieur et Madame Deux furent enchantés de la revoir ; elle fut surprise de ressentir tant d'émotion à les retrouver. Cela lui rappelait une page de sa vie qu'elle croyait tournée à jamais.

Comme elle allait se chercher une flûte de champagne, elle eut la stupeur de voir, parmi la foule des convives, Olivia, tout droit sortie de chez le coiffeur, qui se livrait aux mondanités avec entrain.

Elle courut demander à Élisabeth pourquoi elle l'avait invitée. Celle-ci répondit qu'elle lui avait envoyé un carton pour la forme et qu'elle avait été surprise de son acceptation immédiate.

– Et je l'ai invitée avec son mari, qui est là. C'est un problème pour toi?

– Non.

C'était d'autant moins problématique qu'Olivia n'avait pas remarqué sa présence. « Voici donc ce qu'elle appelle consacrer son temps à la recherche. Et voici pourquoi je dois prendre en charge la moitié de ses cours », pensa Diane. Au-delà du sarcasme, elle ne put se défendre d'éprouver du ravissement. Où était la femme austère qu'elle avait rencontrée trois ans auparavant? Olivia était vêtue de façon exquise et éclatait de rire à la moindre occasion. Les hommes et les femmes n'avaient d'yeux que pour elle.

« Qu'a-t-elle fait de sa raideur ? » se demanda Diane.

Hélas, elle connaissait la réponse. En se maquillant pour le mariage, elle avait été frappée par la sécheresse de son visage. C'était pire que la maigreur. Ce qu'elle avait perdu, c'était sa grâce, et c'était cette grâce qu'elle voyait désormais rayonner en Olivia.

L'espace d'un instant, elle se réjouit de la beauté de son ancienne amie. Mais soudain elle sentit son âme se fendre en deux et laisser place au gouffre, et elle sut que son être entier allait y être aspiré, si puissante était l'attraction de cette douleur béante.

« Ce n'est pas possible. Je ne peux pas mordre la poussière à ce point », se défendit-elle. Il fallait qu'elle regarde ailleurs de toute urgence. Un peu plus loin, elle vit Stanislas perdu dans la contemplation de son verre de jus de fruits. Elle songea que Mariel était seule à la maison et qu'elle n'avait qu'un désir, la rejoindre, pour échapper à cette mascarade.

Manifestement, ce n'était pas le cas d'Olivia. Sans la dévisager, elle se rapprocha pour écouter ce qu'elle disait : « ... votre fils, oui, je vois très bien, Maxime, un jeune homme très éveillé. C'est un plaisir de lui faire cours.» Diane se retint de rire, car Olivia ne mémorisait jamais les prénoms de ses étudiants. «Eh oui, j'enseigne à l'université depuis plus de vingt ans. On ne le croirait pas? Que vous êtes aimable! En vérité, je travaille tellement que je n'ai plus le temps de vieillir!» Espèce de roublarde, ricana Diane. Elle éprouva du soulagement à sentir que dans son âme, le gouffre s'était refermé.

«Quelle merveille, ce champagne! entendit-elle encore. Du Deutz? Oui, je le reconnaîtrais entre mille. Je dis toujours que le but de la vie, c'est de boire de grands champagnes.» Là, Diane eut un mal fou à réprimer son envie de rire. Olivia se méfiait du champagne comme de la peste : elle redoutait de perdre le contrôle d'elle-même. Elle ne put s'empêcher de jeter un œil sur la flûte d'Olivia : elle était quasi pleine.

– Tu ne pourrais pas regarder quelqu'un d'autre? lui dit Élisabeth.

– Je t'avais demandé de ne pas l'inviter.

– Je ne regrette pas de t'avoir désobéi. Cela me permet de mesurer la gravité de la situation.

– Tu as fini de me juger ?

– Je ne te juge pas. Je m'inquiète. Tu es en train de sombrer dans quelque chose d'horrible. Arrange-toi pour ne plus fréquenter cette femme, crois-moi. Tiens, quand on parle du loup...

Olivia s'avançait pour féliciter la mariée et fit semblant de s'aviser soudain de la présence de Diane :

– Comment, c'est donc vous, ce joli portemanteau ?

– La recherche vous réussit, vous êtes éblouissante, répondit Diane.

– Oui, on voit tout de suite que vous êtes admirablement secondée, intervint Élisabeth.

Sentant que la situation ne lui était pas favorable, Olivia sourit et se laissa happer par l'une des nombreuses personnes qui désiraient lui parler.

– Quelle pimbêche ! dit Élisabeth.

– Elle n'était pas comme cela quand je l'ai rencontrée.

– Veux-tu cesser de l'excuser ? Elle est odieuse ! Et regarde-la en train de jacasser et de se faire mousser : tu t'es donné un mal de chien pour qu'elle ait le titre de professeur et elle s'en sert pour pérorer en société ! Et maintenant, je t'ordonne de te gaver de petits-fours. Ta maigreur m'afflige !

– Je suis désolée pour l'autre jour, dit Olivia à Diane, un soir qu'elle était venue s'occuper de Mariel.

– De quoi parlez-vous ?

– Au mariage de votre amie. J'ai été absurdement désagréable envers vous. Je ne sais pas ce qui m'a pris.

– C'est oublié.

– Tant mieux. Vous comptez beaucoup pour moi, vous savez. D'ailleurs, j'ai quelque chose à vous proposer.

« Nous y voilà », pensa Diane, qui redoutait une nouvelle charge de travail.

– J'aimerais vous tutoyer, dit Olivia en souriant.

La jeune femme s'y attendait si peu qu'elle

écarquilla les yeux. Touchée, elle finit par accepter.

– C'est d'accord ? Ah, je suis contente. C'est tellement plus sympathique.

– J'aurais besoin de ton indulgence, implora Diane. Je risque de me tromper souvent.

– Aucun problème. Nous aurions dû passer au tu depuis longtemps. C'est en entendant Mariel te tutoyer que j'y ai pensé.

Diane fulminait. «J'aurais dû m'en douter, comment ai-je pu prendre pour une marque d'amitié ce qui n'était que de la jalousie envers sa fille ? »

Par la suite, elle regretta amèrement ce tutoiement. L'abandon du voussoiement correspondit chez Olivia à la disparition des dernières traces de respect qu'elle lui manifestait encore. Auparavant, elle lui disait : « Pardon, avez-vous terminé de corriger les écrits des partiels ? » À présent, c'était devenu : « Bon, c'est fini, ces corrections ? »

Le grand absent du tutoiement, c'était le tu. Olivia ne s'adressait même plus à quelqu'un.

Diane réunit ce qui lui restait de courage pour annoncer à Olivia qu'elle ne pouvait plus prendre en charge la moitié de ses cours.

– Ma soutenance de thèse est en septembre. Je suis loin d'être prête.

Olivia y vit d'autant moins d'inconvénient qu'on était en avril.

– Je t'aiderai, dit-elle.

– Ce n'est pas nécessaire.

– Je peux te faire bénéficier des astuces de mon expérience, insista Olivia.

« Après tout, pourquoi pas ? » songea la jeune femme.

Le dévouement d'Olivia l'étonna. Au lieu de partir en vacances, elle resta tout l'été auprès d'elle. Elle lui donna des conseils qui n'étaient pas dénués d'habileté. Rien de fondamental, mais cela pourrait s'avérer utile.

Une semaine avant la soutenance, Diane ordonna à Olivia de partir quelques jours au soleil.

– Tu en as assez fait pour moi. Je garderai Stanislas et Mariel.

– Merci de t'occuper des enfants, dit Olivia en riant.

La veille de son retour, Diane mit un peu d'ordre dans l'appartement des Aubusson. Elle tomba sur une grande enveloppe en papier kraft qui n'était pas fermée et en regarda machinalement le contenu. Il s'agissait des épreuves corrigées d'un article d'Olivia. Il se basait sur les éléments les plus personnels et les plus brillants de la thèse de Diane, dont le nom n'apparaissait pas une seule fois dans les notes.

Elle replaça les documents dans l'enveloppe, s'assit et réfléchit.

«Je ne vais pas compromettre mon avenir à cause de ce monstre. D'autant qu'elle fait partie de mon jury de soutenance. Je vais serrer les dents jusqu'à demain. Ensuite, je romps sans explication. Sinon, je la tue.»

Rompre avec Olivia signifiait rompre avec Mariel. Cette perspective la désolait, mais cela valait quand même mieux que de tuer sa mère.

Le soir, quand elle borda la fillette, elle l'embrassa avec une affection marquée.

153

– Dors bien, ma chérie, dit-elle en refermant la porte de sa chambre.

Elle compulsa une dernière fois sa thèse puis se coucha. Étonnée de sa propre froideur, elle s'endormit.

Le jour J, elle alla chercher Olivia à la gare.

– Ne devrais-tu pas être en train de réviser ?

– Je connais tout par cœur. Tu as une mine exceptionnelle.

La soutenance débutait en début d'après-midi. Consciente du degré de haine qu'elle avait atteint, Diane se maîtrisait comme jamais. Elle n'eut pas besoin de regarder ses notes une seule fois. Quand elle développait un point dont Olivia avait fait la base de son article, elle s'adressait plus particulièrement à elle. Celle-ci ne cessa pas un instant de sourire avec fierté, comme si elle était à l'origine d'un tel niveau d'excellence.

Les deux autres membres du jury posèrent quelques questions. Diane répondit brillamment puis remercia les professeurs pour « l'aide considérable » qu'ils lui avaient apportée. Les jurés se retirèrent pour délibérer et ne tardèrent pas à revenir. Diane fut reçue avec les félicitations du jury.

Olivia lui proposa de venir fêter l'événement chez elle. Diane dit qu'elle préférerait la retrouver pour dîner à leur brasserie, comme au bon vieux temps.

Enchantés de les revoir, les serveurs leur apportèrent d'office deux salades et une bouteille d'eau minérale. En mangeant, Olivia la complimenta sur la qualité de sa soutenance.

– Je savais déjà que tu étais bonne à l'oral, mais là, tu m'as impressionnée.

« Tu n'as encore rien vu », pensa la jeune femme, qui remercia.

Lorsque la dernière feuille de laitue fut avalée, Diane lui dit qu'elle avait une nouvelle à lui annoncer.

– Je t'écoute, dit Olivia.

– Je quitte l'université.

– Pardon ?

– Tu m'as très bien entendue.

– Tu ne peux pas me faire ça.

– Cela n'a rien à voir avec toi. Mon projet a

toujours été de soigner les gens, et non d'enseigner.

– Tu enseignes divinement !

– Quand cela serait, cela n'y changerait rien.

– Et tu m'annonces cette abomination après
ta soutenance ?

– Pourquoi cela te choque-t-il ? Tu ne m'aurais
quand même pas pénalisée, si je te l'avais annoncé
avant ?

Dans les yeux d'Olivia, elle lut : « Tu te fiches
de moi ! Et comment, que je t'aurais pénalisée ! » Elle affecta de ne pas s'en apercevoir.

– Et comment vais-je faire sans toi ? s'indigna
Olivia.

– Tu es gentille, dit Diane en feignant de s'y
méprendre. Tu n'as aucun besoin de moi.

– Bien sûr que si ! Je n'aurai plus le temps de
m'adonner à la recherche.

– Tu as pris beaucoup d'avance dans ce
domaine, ces derniers mois.

– Je vois. Tu fouilles dans mes affaires !

– Je ne sais pas de quoi tu parles.

– Pauvre idiote ! Cela s'est toujours passé
ainsi chez les chercheurs ! Si tu te vexes pour si
peu, c'est que tu n'as rien compris.

– Je ne comprends pas un mot de ce que tu racontes.

– Tu as raison, fais l'innocente. Tu vas voir ce qui t'attend : les malades. Les patients, c'est la lie de l'humanité. Tu vas regretter les étudiants, fillette !

– Je regretterai surtout les professeurs.

– Plaisante, ma chérie, plaisante ! Ici, tu vis dans l'intelligence. Tu vas découvrir les patients d'un cardiologue : dans neuf cas sur dix, la pathologie est causée par un excès de graisse, et le soin consiste à mettre le malade au régime. Quand tu conseilleras d'arrêter le beurre, on te regardera comme un assassin. Quand on reviendra te voir trois mois plus tard et que tu t'étonneras qu'il n'y ait pas de changement, on te mentira sans complexe : « Docteur, je ne comprends pas, j'ai suivi toutes vos recommandations. » En choisissant la cardiologie et la recherche, nous optons pour la noblesse ; en exerçant en tant que médecins, nous ne soignons que des cochons.

– J'accepte d'être vétérinaire, dit Diane avec un sourire.

– Comment peux-tu renoncer à l'intelligence, toi qui es allergique à la bêtise ?

– Je ne suis pas allergique uniquement à la bêtise.

– Vas-y, accouche.

– Tu sais tout.

– Je sais ce que tu me reproches le plus : tu trouves que je suis une mauvaise mère. De quel droit me juges-tu ? Nous verrons quelle mère tu seras, si, comme moi, tu as la malchance d'avoir un enfant moins brillant que toi.

– Je ne serai pas mère.

– Qu'en sais-tu ?

– Je le sais.

– Ma foi, je vois ce que tu veux dire. Quand je t'ai rencontrée, tu étais la beauté même. À présent, que reste-t-il de ta splendeur ? Qui voudrait de toi, maintenant ?

Sidérée par la violence et la perfidie de la remarque, Diane se leva et sortit. Elle entendit cette ultime vocifération :

– Ne reviens pas chez moi, tu n'es plus la bienvenue ! Tu ne reverras plus Mariel !

« C'est le seul point qui m'attriste », se dit-elle.

Cette nuit-là, en se couchant, elle sut qu'elle ne dormirait pas. Fière d'avoir accompli ce qu'il lui fallait faire, elle n'en était pas moins hallucinée par les proportions qu'avait prises la colère d'Olivia.

Jusqu'alors, il lui avait semblé que son mépris s'expliquait par sa confrontation avec des individus méprisables, comme les sommités en place dont elle avait raillé à juste titre les travers, avant de devenir leur meilleure amie dès l'instant où les portes du mandarinat s'étaient ouvertes pour elle. Désormais, Diane comprenait que cette femme méprisait par nature. C'était une personne méprisante, elle cherchait des objets de mépris et en trouvait facilement : les naïfs, les malades et jusqu'à sa propre fille. « Et sûrement moi dorénavant », songea-t-elle.

160

« Soyez économe de votre mépris, il y a beaucoup de nécessiteux » ; Olivia n'avait pas besoin d'obéir au fabuleux précepte de Chateaubriand parce qu'elle regorgeait de mépris. Elle pouvait le distribuer en prodigue, il lui en resterait toujours.

L'avantage de mépriser consiste à se sentir supérieur à qui l'on méprise. Olivia s'en privait d'autant moins. Éprouver à ce point le besoin de l'exprimer supposait pourtant la fragilité de ce qui la séparait de ce qu'elle méprisait, comme l'avait illustré son attitude à l'égard des mandarins. En allait-il de même vis-à-vis des malades du cœur ?

Diane se rappela une conversation vieille de plus d'un an, qui lui avait paru sans importance. Elle avait demandé à celle qui était encore son amie si elle avait des antécédents cardiaques pour surveiller si scrupuleusement son alimentation.

– Non. Mais je tiens à rester mince, avait-elle répondu.

– Il me semble que vous êtes à l'abri du danger de grossir.

– Jusqu'à la naissance de ma fille, je pouvais

manger à volonté. Depuis que je suis mère, un rien me profite.

Diane se souvint de l'aigreur avec laquelle elle avait dit cela. Se pouvait-il qu'il y ait là un élément d'explication à l'exécration qu'elle avait pour Mariel ?

Si seulement cela n'avait été que de la haine ! Il apparaissait maintenant à Diane que le mépris était pire que la haine. Celle-ci est si proche de l'amour, quand le mépris lui est étranger. « Au moins, ma mère ne m'a jamais méprisée », pensa-t-elle. Le sort de Mariel la fit frémir.

Au matin qui suivit cette nuit blanche, Diane vit qu'elle avait un message d'Olivia dans sa boîte mail. « Dire que c'est moi qui lui ai appris à se servir d'Internet ! » C'était elle, aussi, qui lui avait enseigné le moyen de savoir si son message avait été lu. La jeune femme décida de ne jamais lire cet ultime message. Elle connaissait assez Olivia pour ne pas douter que cela la rendrait folle.

« La bêtise, c'est de conclure », a écrit Flaubert. Cela se vérifiait rarement autant que dans les querelles, où l'on identifiait l'imbécile à son obsession d'avoir le mot de la fin.

Fidèle à son inexorable habitude, la vie continua.

Diane exerça à plein temps au service de cardiologie de l'hôpital. Les patients l'adoraient : quel que fût leur problème, elle les écoutait avec un respect qui les rendait capables de changer leurs habitudes si elle le leur demandait.

Malgré sa charge de travail, elle adopta un rythme beaucoup plus sain. Elle recommença à dormir chaque nuit et recouvra l'appétit. À ce régime, elle ne tarda pas à redevenir une beauté.

Elle décida de renouer avec sa famille. Son père se désola qu'elle n'enseignât plus à l'université, mais fut très fier d'avoir une fille médecin. Sa mère, qui s'occupait parfaitement de la petite Suzanne, prit le pli d'inviter chaque dimanche midi Diane, Nicolas, son épouse et leurs enfants.

Le frère et la sœur se retrouvèrent avec bonheur et effusion.

Marie recevait chaque année, pour son anniversaire, une carte postale de Célia. À en juger d'après les lieux d'expédition, elle faisait le tour du monde à pied.

Élisabeth eut deux fils, Charles et Léopold. Marraine du dernier, Diane aimait tendrement les deux frères qui l'appelaient tatie.

Les prétendants ne manquèrent pas. Diane les éconduisit tous sans exception. Elle ne revit jamais Olivia. Parfois, elle entendait parler d'elle. Cela lui était toujours désagréable.

Cinq ans plus tard, elle apprit que Mariel était déscolarisée. Elle en conçut du chagrin.

Les années passèrent encore. Diane devint propriétaire d'une jolie maison dans les beaux quartiers de la ville. Elle découvrit avec joie l'art de jardiner.

En janvier 2007, Diane eut 35 ans. Quelques jours plus tard, deux policiers se présentèrent chez elle. Elle les reçut avec étonnement.

– Olivia Aubusson a été assassinée dans la nuit du 15 au 16. Accepteriez-vous de répondre à nos questions ?

Bouleversée, la jeune femme les pria d'entrer. La nuit du 15 au 16 janvier, elle fêtait son anniversaire chez Élisabeth. Elle n'avait plus vu la victime depuis sept ans.

– Comment a-t-elle été tuée ?

– Vingt coups de couteau dans le cœur.

Elle resta abasourdie un long moment.

– Son mari ?

– Il est en état de choc. Il reste allongé sur le lit, il regarde le plafond.

– A-t-il vu le meurtrier ?

– Non. Ils faisaient chambre à part. Mais c'est à nous de poser les questions. Olivia Aubusson avait-elle une liaison ?

– Comment le saurais-je ?

– Vous avez été très proche d'elle.

– Oui, pendant trois années, nous avons été amies.

– Quelle était la nature de cette amitié ?

– Professionnelle, entre autres. Je me suis également occupée de sa fille pendant près d'un an.

– Parlez-nous de cette fille.

– Mariel. À l'époque, elle avait 12 ans. Depuis, j'ai appris qu'elle avait quitté le lycée, c'est tout ce que je sais.

– Elle s'entendait bien avec sa mère ?

– Aucune idée. Il y a dix ans, elle l'adorait.

– On a retrouvé devant le domicile de la victime des traces de pneus qui n'étaient pas celles de sa voiture. Savez-vous si Mariel conduisait ?

– Comment le saurais-je ?

– C'est nous qui posons les questions. Pourquoi avez-vous cessé de voir Olivia Aubusson ?

– Un différend nous a opposées.

– De quelle nature ?

– Professionnel. Je ne voulais plus travailler avec elle, à l'université.

– Pourquoi ?

– Ce n'était pas ma vocation. Je voulais être médecin et non enseignante. Elle l'a mal pris, le ton est monté. Notre amitié s'est terminée.

Ils la questionnèrent encore sans obtenir d'elle d'autre réponse que son ignorance et puis ils s'en allèrent, non sans la prier de les recontacter si un élément intéressant lui revenait à la mémoire. Avant de la quitter, ils prirent les coordonnées d'Élisabeth afin de vérifier son emploi du temps de la nuit du meurtre.

Diane n'eut pas besoin de réfléchir pour comprendre qui était l'assassin.

Quand on tue quelqu'un de vingt coups de couteau dans le cœur, il s'agit d'un crime passionnel. Elle savait avec certitude qui lui vouait un amour déçu depuis près de vingt années.

N'était-ce pas infiniment plus grave qu'une liaison qui finit mal ? Un amour si profond, si inguérissable, si indispensable, si inconsolable, auquel Olivia n'avait répondu que par le mépris.

Le choix de la date du meurtre était une signature qui lui était destinée. Il fallait que l'assassin aime Diane pour passer à l'acte le soir de son anniversaire. Non que ce meurtre soit censé lui faire plaisir, mais pour qu'elle n'ait aucun doute sur l'identité de son auteur.

En 2007, l'assassin allait avoir 20 ans. L'âge qu'avait Célia quand elle avait abandonné Suzanne et fui sa mère. À la gravité du crime correspondait la gravité du châtiment. Le crime de Marie avait été beaucoup moins grave que celui d'Olivia. Marie avait été aveugle et folle. Olivia avait froidement et lucidement méprisé.

Diane se rappelait que l'anniversaire de l'assassin était le 6 février. Elle n'avait qu'à attendre.

Le 6 février, Diane resta chez elle toute la journée. À 23 h 54, on frappa à sa porte avec une extrême discrétion.

– Bon anniversaire, dit-elle à celle qu'elle fit entrer aussitôt.

À 20 ans, Mariel en paraissait 16. Elle était

petite et maigre et dans ses yeux immenses, on lisait une faim inextinguible.

Diane ne lui posa aucune question.

– Je n'ai nulle part où aller, dit Mariel.

– Tu es ici chez toi.

DU MÊME AUTEUR

Aux Éditions Albin Michel

HYGIÈNE DE L'ASSASSIN

LE SABOTAGE AMOUREUX

LES COMBUSTIBLES

LES CATILINAIRES

PÉPLUM

ATTENTAT

MERCURE

STUPEUR ET TREMBLEMENTS, Grand Prix du roman de l'Académie française, 1999.

MÉTAPHYSIQUE DES TUBES

COSMÉTIQUE DE L'ENNEMI

ROBERT DES NOMS PROPRES

ANTÉCHRISTA

BIOGRAPHIE DE LA FAIM

ACIDE SULFURIQUE

JOURNAL D'HIRONDELLE

NI D'ÈVE NI D'ADAM

Composition : IGS-CP
Impression : en juin 2017 Éditions
Albin Michel
22, rue Huyghens, 75014 Paris
www.albin-michel.fr

ISBN broché : 978-2-226-39916-8
ISBN luxe : 978-2-226-18498-6
N° d'édition : 22755/01
Dépôt légal : août 2017
Imprimé au Canada chez Marquis imprimeur inc.

12-18-18
1-26-22
22